rougir ²

Nouvelles histoires à faire rougir

Nouvelle génération

MARIE GRAY

rougir ②

Nouvelles histoires à faire rougir

Nouvelle génération

Guy Saint-Jean
ÉDITEUR

Catalogage avant publication de Bibliothèque et Archives nationales
du Québec et Bibliothèque et Archives Canada

Gray, Marie, 1963-
Nouvelles histoires à faire rougir
Nouv. éd.
(Rougir ; 2)
Éd. originale: c1996.
ISBN 978-2-89455-490-6
I. Titre. II. Collection: Gray, Marie, 1963- . Rougir ; 2.
PS8563.R414N68 2012   C843'.54   C2011-942635-8
PS9563.R414N68 2012

Nous reconnaissons l'aide financière du gouvernement du Canada par l'entremise
du Fonds du livre du Canada (FLC) ainsi que celle de la SODEC pour nos activités
d'édition. Nous remercions le Conseil des Arts du Canada de l'aide accordée à notre
programme de publication.

Gouvernement du Québec — Programme de crédit d'impôt pour l'édition de livres —
Gestion SODEC

© Guy Saint-Jean Éditeur inc. 2012
Conception graphique: Christiane Séguin
Révision: Sophie Ginoux
Illustration de la page couverture: Ping Lee / Getty Images

Dépôt légal — Bibliothèque et Archives nationales du Québec, Bibliothèque
et Archives Canada, 2012

ISBN: 978-2-89455-490-6
ISBN ePub: 978-2-89455-491-3
ISBN PDF: 978-2-89455-492-0

Distribution et diffusion
Amérique: Prologue
France: De Borée/Distribution du Nouveau Monde (pour la littérature)
Belgique: La Caravelle S.A.
Suisse: Transat S.A.

Guy Saint-Jean Éditeur inc.
3440, boul. Industriel, Laval (Québec) Canada, H7L 4R9. 450 663-1777
Courriel: info@saint-jeanediteur.com • Web: www.saint-jeanediteur.com

Guy Saint-Jean Éditeur France
30-32, rue de Lappe, 75011, Paris, France. (9) 50 76 40 28 • Courriel: gsj.editeur@free.fr

Imprimé et relié au Canada

Bal masqué

Laurence n'aurait jamais pu se douter qu'un simple carton d'invitation changerait à ce point sa vie. La missive ne lui était d'ailleurs même pas adressée. L'enveloppe se lisait comme suit :

Madame Andrée Beaulieu
2650, rue Vallier
Montréal, QC
H2Z 3K8

C'était bien l'adresse de Laurence, mais elle n'avait jamais entendu parler d'une quelconque Andrée Beaulieu. Elle habitait pourtant au même endroit depuis trois ans. En temps normal, elle aurait renvoyé l'enveloppe au bureau de poste sans même chercher à savoir ce que cette dernière contenait, en spécifiant que la destinataire n'habitait pas à cette adresse. Mais un détail attira son attention. Sur l'enveloppe, à l'endroit où aurait dû figurer l'adresse de retour, se trouvait une illustration intrigante : une main cueillant une pomme sur la branche d'un arbre. Cela lui fit penser à une gravure ancienne, à l'image de celles que l'on trouvait dans les livres d'un autre siècle. Mais ce qui la frappa surtout, ce fut la petite maxime inscrite sous l'illustration :

Pour l'ultime dégustation du fruit défendu.

• • •

Laurence était l'incarnation par excellence de la jeune femme sans histoires. Commis dans la même firme de comptables depuis sept ans, elle était célibataire. Une vraie de vraie, endurcie et abstinente. Elle filait le parfait bonheur avec ses chats, son téléviseur à écran géant sur lequel elle visionnait des tonnes de films de toutes sortes, ses surgelés et son maïs soufflé. Ces petits plaisirs tout simples lui suffisaient amplement. À vrai dire, Laurence se considérait sans charme, alors qu'elle n'était, en vérité, que terne. Elle ne cherchait pas à plaire à qui que ce soit, portait très peu de maquillage — n'avait ni la patience ni l'imagination requises pour cet exercice — et s'habillait de vêtements confortables, mais sans style particulier.

Ses collègues n'avaient jamais cherché à la connaître intimement; ils la trouvaient mortellement ennuyeuse, la traitant avec civilité, mais sans chaleur. Cela convenait très bien à Laurence qui, de son côté, ne voyait en ces personnes que frivolité et insignifiance.

En fait d'aventures, Laurence n'avait pas été choyée. Elle était tombée amoureuse, à l'âge de dix-sept ans, d'un garçon un peu plus âgé qu'elle. Il l'aimait bien, lui aussi, mais avait dû rompre avec elle pour épouser une autre jeune fille malencontreusement tombée enceinte de lui, suite à ses faveurs quelque peu imprudentes.

Laurence n'avait depuis eu aucune autre relation durable. Elle avait donné sa virginité à ce garçon — de façon assez déplaisante, d'ailleurs — et s'était résolue à passer le reste de ses jours avec lui. Leurs deuxième et troisième relations physiques s'étaient avérées plus prometteuses, quoique encore maladroites, laissant entrevoir de nombreux plaisirs à découvrir. Mais il l'avait laissée tomber au même moment. Elle en avait été très bouleversée et s'était bien juré de ne jamais plus se laisser embobiner. Ce fut donc la fin de ses explorations en matière de plaisirs sexuels.

À cette époque, elle n'aurait pas prédit que cette «grève» durerait aussi longtemps. Mais elle n'avait pas trouvé le courage de chercher à rencontrer quelqu'un d'autre; un nouvel amant qui, vraisemblablement, la blesserait une fois encore. Elle avait cependant appris à se procurer toute seule un peu de réconfort. Et quand elle devenait vraiment frustrée, elle se masturbait en imaginant qu'elle possédait cet homme qui avait osé la quitter. C'était alors l'autre femme qui gémissait de dépit, enceinte jusqu'aux oreilles. Une bien triste compensation qui l'avait conduite, peu à peu, à délaisser jusqu'à ce petit plaisir égoïste.

Laurence croyait donc bien s'être débarrassée de toutes ces tentations, mais voilà que, de manière incompréhensible, la petite phrase sur l'enveloppe aiguisait sa curiosité, l'incitant à ouvrir le pli.

Chère Madame Beaulieu,
Vous qui vous êtes jointe à nous auparavant
dans la recherche des plaisirs interdits,
Vous qui savez aborder vos désirs et vos passions,
vous qui appréciez la discrétion de nos explorations,
vous êtes cordialement invitée à notre premier bal masqué
pour souligner l'anniversaire
de notre première aventure.
Selon nos traditions, nous souhaitons
que vous partagiez cette invitation
avec votre ou vos partenaires intimes.
La soirée se déroulera à l'adresse
et à la date indiquées au bas de cette invitation.
Pour des raisons évidentes, nous vous demandons
de présenter cette invitation à votre arrivée.
Venez partager avec nous cette soirée
qui sera sans doute inoubliable!

Aucune tenue particulière n'est exigée.
Nous vous prions cependant
de bien vouloir masquer votre visage
afin que les « échanges »
demeurent secrets et mystérieux.
Dans l'attente de votre plaisir...

Suivait une adresse au centre-ville que Laurence s'empressa de taper sur son clavier d'ordinateur, pour voir aussitôt apparaître virtuellement sur l'écran la petite rue, nichée à l'ombre de la montagne. Accessible d'un côté seulement par une rue secondaire, elle se terminait en impasse.

Bien entendu, la première réaction de la jeune femme fut de mettre la lettre en boule et de la jeter au recyclage. Comme elle l'avait déjà ouverte, il lui était maintenant impossible de la déposer à la poste, et ce ne serait certainement pas elle qui assisterait à une telle soirée!

Elle se prépara un plat de spaghettis surgelés, le mangea en regardant un vieux film français et s'endormit sur le canapé, n'accordant plus la moindre pensée à l'intrigante invitation.

Au matin, cependant, alors qu'elle allait porter son bac de recyclage sur le trottoir, une soudaine impulsion la fit fouiller dedans, presque frénétiquement, jusqu'à ce qu'elle retrouve la lettre. Elle la défroissa soigneusement, étonnée par son curieux comportement, et la laissa sur le comptoir de sa cuisine. Elle ne prit pas le temps de la relire, mais ressentit un vague soulagement de la savoir là, en un seul morceau.

Par la suite, tout au long de la journée, elle se surprit à penser à ce mystérieux bal. Qui étaient les personnes qui assistaient à une telle soirée? Que recherchaient-elles? Quelle était l'étincelle qui déclenchait de telles attitudes? Comment la soirée se déroulerait-elle?

Laurence arriva chez elle à la fin de la journée et vérifia la date du bal avant même de se déchausser. Huit jours… Elle n'allait certainement pas passer les huit prochaines journées à être distraite, à ne pas pouvoir se concentrer convenablement sur son travail et à se poser toutes sortes de questions au sujet de cet événement, quand même! Elle réalisa tout à coup que non seulement elle y penserait jusqu'à la date fatidique, mais aussi après et probablement au cours des semaines suivantes. Elle venait en effet de découvrir un univers dont elle ne soupçonnait même pas l'existence jusqu'à ce jour. Et bien malgré elle, elle brûlait de curiosité.

Où pourrait-elle trouver une réponse à toutes ses interrogations? Elle devait absolument en savoir davantage sur ce genre de manifestation. Était-ce fréquent? Elle n'en avait jamais entendu parler. Était-elle à ce point déconnectée de la réalité? Elle envisagea de faire une recherche sur Internet pour obtenir plus de renseignements, mais quels mots clefs devait-elle taper, au juste? «Bal masqué», «plaisirs interdits»? Elle se rendit compte qu'elle ne savait même pas comment nommer cet événement. Si elle cherchait quelque chose comme «soirée sexy», tomberait-elle sur un de ces sites pornos où toutes sortes d'âmes perdues s'adonnaient à des perversités pires les unes que les autres? Elle frissonna rien que d'y penser. Le plus simple, c'était encore les journaux. Les petites annonces lui donneraient peut-être quelques indices.

En feuilletant cette rubrique, elle vit les publicités de nombreuses agences d'escortes offrant divers services plus ou moins subtilement. Puis, celles de salons de massage… et des annonces de gens cherchant à peu près de tout, du partenaire classique à l'aventure insolite. Mais nulle part, elle ne trouva la mention d'un bal masqué ou de quelque soirée érotique organisée impliquant plusieurs personnes. Déçue, elle délaissa son quotidien et tenta de se changer les idées en lisant un roman de son auteur favori.

Mais à peine quelques minutes plus tard, fatiguée de parcourir le même passage pour une dixième fois pour en comprendre le sens, elle se leva d'un bond et se résigna à interroger son ordinateur, en s'exhortant toutefois à la plus grande prudence.

• • •

Laurence tapa tout d'abord «soirée intime» dans la fenêtre du moteur de recherche. Les résultats n'étaient pas convaincants, puisque toutes sortes de liens apparurent sur l'écran, menant à des boutiques de sous-vêtements comme à des restaurants romantiques vantant leurs mérites. La jeune femme essaya alors plutôt «soirée érotique» et... fut étonnée du nombre effroyable de sites de toutes sortes qui offraient des soirées particulières du même type que celle à laquelle elle avait été invitée! Enfin, ce n'était pas tout à fait elle qui y était conviée, mais cela n'avait pas vraiment d'importance. Elle mit un moment avant de comprendre qu'il s'agissait pour la plupart de sites de clubs échangistes. Il y en avait tant! Laurence était abasourdie de le découvrir et ne pouvait s'empêcher de se dire qu'elle avait bien fait de rester seule jusqu'à présent! Si c'était là que menaient l'ennui et la monotonie d'une vie de couple, elle n'en voulait pas! Au-delà des considérations d'ordre moral, ce qui la chicotait le plus était que rien de tout cela ne correspondait vraiment à ce qu'elle cherchait. On s'adressait sur ces sites surtout aux couples, alors qu'elle était seule... Et curieusement, elle en fut déçue. Elle se mit alors à lire, en désespoir de cause, quelques témoignages de participants. Quelle ne fut pas sa surprise de constater que plusieurs d'entre eux venaient de femmes qui semblaient s'être rendues à un de ces endroits seules et prétendaient avoir passé une soirée mémorable. «Dieu que le monde est pervers!», pensa-t-elle.

Elle cessa brusquement sa lecture, refusant de s'attarder à l'étrange picotement que les derniers aveux de ces femmes

dépravées avaient provoqué dans son corps. Elle parcourut distraitement quelques autres passages d'un de ces clubs particuliers puis, en cliquant sur l'onglet «album», elle resta bouche
bée devant une série de photographies particulièrement sugges-
tives. Deux femmes et deux hommes y étaient notamment repré-
sentés dans une série de positions acrobatiques: un brun avec
une blonde et un blond avec une rousse; ensuite, le blond avec la
blonde et la rousse avec le brun; puis, la blonde avec la rousse...
Laurence tombait littéralement des nues. Tandis que son corps
réagissait à ces images, son cerveau tentait, tant bien que mal, de
rationaliser et de se convaincre que les gens normaux ne se laissaient pas vraiment aller à de telles pulsions. Mais si quelqu'un,
dans cette ville, prenait la peine d'organiser un bal masqué, il
devait bien y avoir une petite partie de la population qui vivait de
façon aussi obscène, quand même!

Cette nuit-là, Laurence fit le premier rêve érotique de sa vie.
Tout y passa, du jeune traître qui l'avait laissée tomber — ses
traits étaient déformés et sa queue, immense grâce à la magie
du rêve — à une orgie démente à laquelle participaient tous
ses collègues... qui portaient des masques transparents et rien
d'autre! La jeune femme s'éveilla en sueur, le corps brûlant et
les cuisses écartées, désirant combler ce qu'elle s'était refusée
trop longtemps. N'y tenant plus, elle se précipita à l'assaut de ce
brasier. Au contact de ses doigts, son corps frémit, et elle se mit
à effectuer de petits mouvements circulaires avec sa main droite,
tentant de faire durer son émoi. Elle s'attarda tout autour de son
sexe maintenant béant, grattant d'un ongle timide la petite boule
de chair, érigée fièrement, qui la ferait jouir d'un instant à l'autre.
Elle se surprit à penser, pour la première fois depuis des années,
qu'il lui faudrait quelqu'un d'autre pour calmer ce feu ardent.
Une main, une langue ou une verge imposante, peu importait.
En insérant un doigt, puis un deuxième et un troisième dans son

corps assoiffé de caresses, Laurence assouvit du mieux qu'elle le put ce soudain désir. Sa main glissait en elle, la remplissant enfin, lui procurant d'innombrables soupirs et frissons, et, surtout, lui faisant réaliser à quel point ces sensations lui avaient manqué. Elle s'imagina entre les bras d'un amant l'écrasant sous son poids et au membre dur comme de l'acier qui lui déchirerait les entrailles. Sa main gauche s'en alla rejoindre sa jumelle, mais s'attarda à l'entrée de son corps, glissant doucement sur ses lèvres et son sexe humide. Quelques secondes lui suffirent pour s'abandonner au tout premier orgasme qu'elle ait vraiment pris la peine de ressentir.

• • •

Elle sembla vivre les jours suivants à travers un épais brouillard. Laurence ne se reconnaissait plus. Elle était distraite, et son travail en souffrait. Elle n'avait plus beaucoup d'appétit. Le soir, au lieu d'écouter sagement un film à l'eau de rose, elle retournait sur le site Web qui l'avait tant troublée et tentait de déterminer quelle photographie la fascinait le plus. Elle en étudiait tour à tour plusieurs avec une patience et une concentration presque cliniques, s'efforçant d'imaginer les sensations qu'elle ressentirait à la place des protagonistes. Mais l'imagination a ses limites... Elle finissait donc presque invariablement par se masturber au beau milieu du salon, l'ordinateur oublié sur la table à café, rêvant à de nombreux corps emmêlés et anonymes. Au bout de quelque temps, sa décision fut prise. Elle en était venue à cette conclusion presque malgré elle, n'obéissant qu'à un instinct primaire. Coûte que coûte, elle assisterait au bal masqué.

• • •

Le jour venu, Laurence s'efforça tant bien que mal de ne pas penser à ce qui l'attendait. Elle se jetait à l'eau pour la première fois de sa vie, n'ayant aucune idée précise de ce qui allait se produire. Elle se sentait impuissante, comme attirée par un aimant invisible. Ce n'était pas vraiment elle qu'on invitait? Qu'à cela ne tienne! Elle ne pouvait plus reculer, à présent.

Toute la journée, elle fit en sorte de se tenir très occupée, quitte à faire preuve de zèle. Elle parvenait à fonctionner comme une automate, appliquant son cerveau à deux tâches distinctes: son travail et son obsession. Que porterait-elle à ce bal? Que verrait-elle sur place? Ces questions et de nombreuses autres la hantaient sans cesse.

À la fin de la journée, Laurence était fébrile. Maintes fois, elle se répéta qu'elle n'était nullement tenue de se rendre à cette soirée ridicule. Mais inlassablement, un frisson d'anticipation la convainquait du contraire. Elle devait y aller ou y laisser sa raison, elle le sentait. La remarque du groupe de femmes qui quittèrent le bureau sur un «Bonne fin de semaine, Laurence! On est sûres que tu vas t'éclater, comme d'habitude!» acheva de la décider. Eh bien, elle allait leur montrer qu'elle n'était pas qu'une vieille fille frustrée. Pour s'éclater, elle s'éclaterait, foi de Laurence!

Après avoir quitté son travail, elle décida de passer par l'un des grands magasins parsemant le chemin du retour. En effet, lorsqu'elle avait examiné sa garde-robe ce matin-là — ce qui n'avait pris que quelques minutes — elle avait bien réalisé qu'elle ne possédait rien qui fut même vaguement approprié à une telle soirée. Elle n'avait pas la moindre idée de ce que les autres invités allaient revêtir; mais se disait qu'une petite robe noire, simple mais attrayante, ferait sûrement l'affaire. Or, dès qu'elle pénétra dans le rayon des vêtements pour dames, elle la vit. C'était une toute petite chose, toute droite, toute légère... si différente de ce qu'elle avait l'habitude de porter! Elle partit immédiatement l'essayer. Mais en retirant la robe qu'elle portait, la banalité de ses sous-vêtements lui sauta aux yeux. Elle passa quand même la robe noire, qui lui allait comme un gant, avant de se diriger vers le rayon de la lingerie. Elle y choisit un ensemble soutien-gorge et culotte pas trop provocant, mais qui l'aurait sans doute fait sourciller quelques semaines auparavant. En essayant ces morceaux de tissu soyeux, seule devant la glace, Laurence se regarda pour une fois d'un œil indulgent. Ce qu'elle vit alors la dérouta. Elle n'avait jamais vraiment pris la peine de s'observer ainsi, de se regarder comme quelqu'un d'autre pourrait le faire; un homme, par exemple... Elle se trouva, à sa grande surprise, plutôt attirante. Les sous-vêtements délicats faisaient ressortir à merveille son teint pâle et la douceur de sa peau. Elle s'examina comme si ce corps, qu'elle croyait pourtant si bien connaître, lui était étranger. Cambrant les reins, elle s'imagina posant pour un photographe inconnu... peut-être même sur une des photos qu'elle regardait depuis quelque temps sur son ordinateur. Cette pensée l'excita si intensément et de manière si inattendue qu'elle ne put qu'abdiquer, en se disant qu'elle pourrait très bien faire l'affaire et était, après tout, aussi excitante que ces autres femmes qu'elle avait, elle le réalisait à présent, enviées tant de fois. Elle passa lentement sa main droite sur le soutien-gorge, se caressa les seins, descendit le long de son ventre et longea sa culotte. Elle releva ensuite une jambe sur le petit tabouret qui meublait la cabine et dévoila son sexe, qui lui était maintenant plus familier. Sa main vint effleurer la chair tendre située entre ses cuisses, remontant langoureusement vers ce pubis trop long-temps négligé. Elle se masturba ainsi, devant la glace, elle qui auparavant n'aurait jamais osé en envisager la possibilité. Au moment de jouir, elle ferma les yeux. Puis les rouvrit une fois libérée. Et ce qu'elle vit la fascina. Elle était là, le souffle court, le visage rougi, les yeux perdus et les cheveux emmêlés. Était-ce vraiment elle? Elle se sentait enfin femme et ce soir, elle rattra-perait toutes ces années perdues.

Encore confuse du geste qu'elle venait d'accomplir et des puissantes sensations physiques et émotionnelles qu'il avait déclenchées, Laurence paya sa marchandise et sortit du magasin d'un pas ferme et rapide. Il ne lui restait plus qu'un seul arrêt à faire. Elle vérifia l'adresse de la boutique d'accessoires de théâtre qu'elle avait repérée plus tôt dans le bottin téléphonique et s'y rendit sans attendre.

Elle vit ce qu'elle cherchait en entrant. Une série de loups étaient accrochés aux murs du petit magasin, certains très fantaisistes, d'autres plus discrets. Elle en choisit un très simple, en velours noir. Puis, en passant devant quelques perruques, elle ressentit tout à coup une pointe d'appréhension. Un détail lui avait en effet échappé... Et si on découvrait qu'elle n'était pas Andrée Beaulieu, la femme à qui l'invitation était adressée? Et si cette femme avait une chevelure ou une physionomie totalement différente de la sienne? «Il faudra que je montre l'invitation en arrivant au bal, c'est certain. Mais si la personne à qui je la présenterai connaît cette mystérieuse étrangère, me mettra-t-on à la porte?», se demanda-t-elle, paniquée. Ce serait horrible, après toute cette anticipation! Elle décida néanmoins que le jeu en valait la chandelle et qu'en cas de problème, elle improviserait. Elle pourrait par exemple prétendre que madame Beaulieu ne pouvait pas venir et lui avait refilé l'invitation. «J'espère que cela ne cause pas de problème?», demanderait-elle de son air le plus innocent. «Vous pouvez bien sûr compter sur ma discrétion. Andrée n'aurait pas envoyé n'importe qui, vous la connaissez!», conclurait-elle. Cette ruse pouvait marcher. Elle porterait de toute façon une écharpe sur ses cheveux juste pour entrer, afin d'éviter les questions.

En arrivant chez elle, excitée et le souffle court, elle se prépara un repas léger, mais nourrissant. Elle aurait sans doute besoin de beaucoup d'énergie, ce soir...

L'heure fatidique approchait. Laurence prit une longue douche, puis enduisit son corps entier d'une huile à la douce odeur de lilas. Elle déposa délicatement quelques gouttes de parfum à des endroits stratégiques de son anatomie, comme elle le voyait faire dans ses films préférés : sur la nuque, derrière les oreilles, entre les seins et dans les cheveux. Elle ne prit pas beaucoup de temps pour se maquiller, le loup camouflant ses traits efficacement. Elle se permit toutefois une innovation, à savoir un rouge écarlate dont elle recouvrit soigneusement ses lèvres, appliquant également, en guise de touche finale, le fixatif miracle que lui avait tant vanté la vendeuse de cosmétiques du grand magasin.

Fin prête, elle se regarda une dernière fois de haut en bas dans la glace et fut satisfaite du résultat. Mais quelque chose clochait, et cela n'avait rien à voir avec son apparence; elle était en fait d'une nervosité extrême. Elle décida donc de se verser un petit gin tonic, une boisson qu'elle réservait aux occasions spéciales et à laquelle elle ne touchait pratiquement jamais, lesdites occasions étant rares. Toutefois, si ce bal n'en faisait pas partie, elle se demandait bien quels devraient en être les critères! Elle but son verre d'une seule gorgée et s'en prépara immédiatement un autre. Elle ressentit presque aussitôt une chaleur réconfortante dans tout son corps et un bien-être encourageant l'envahir. Elle appela un taxi avant de se dégonfler. Le chauffeur klaxonna devant sa porte, quelques minutes plus tard.

Pendant le trajet, Laurence tenta de libérer son esprit de toutes les questions qui la hantaient. Peut-être serait-elle déçue, qui sait? «Mais il est difficile d'être déçue quand on n'a aucune idée de ce qui nous attend!», songea-t-elle pour la millième fois. Très rapidement — trop, pensa-t-elle — le chauffeur s'arrêta à l'adresse qu'elle lui avait formulée. Devant elle, se dressait un bâtiment ordinaire qui ne laissait rien présager des activités qui pouvaient y avoir lieu. Brique rouge, aucune enseigne. Elle vérifia le carton d'invitation, s'assurant d'avoir le bon numéro. C'était bien là, pourtant... Elle paya distraitement le chauffeur, en proie à une soudaine panique. Et si on ne la laissait pas entrer? Elle devrait peut-être marcher jusqu'à une rue plus passante, les voitures se faisant très rares ici. «Oh, et puis tant pis, ça suffit, maintenant!», se dit-elle en serrant les poings. Elle s'en faisait sans doute pour rien, et de toute façon, il était trop tard pour reculer.

Ses craintes s'avérèrent non fondées. De toute évidence, la discrétion qu'on attendait des visiteurs valait aussi pour les hôtes de l'événement. Elle entra dans le bâtiment sans difficulté, et un homme masqué vint aussitôt à sa rencontre.

— Bienvenue! Puis-je voir votre invitation, s'il vous plaît?

Laurence lui tendit le carton d'une main qui tremblait légèrement. L'étranger la remercia et lui prit doucement le bras pour la conduire à la salle des festivités, avant de s'éclipser. Elle resta plantée là pendant ce qui lui parut une éternité avant de reprendre ses esprits, quand elle réalisa qu'elle avait arrêté de respirer.

Son cerveau eut cependant besoin de quelques bonnes minutes pour absorber ce que ses yeux lui projetaient. Même ses pensées les plus folles n'arrivaient effectivement pas à adoucir la scène qui se déroulait devant elle. Une foule d'étrangers évoluaient sur une vaste piste de danse, se frottant lascivement les uns contre les autres au son d'une musique lancinante. L'éclairage tamisé rendait l'atmosphère encore plus surréaliste. L'immense pièce avait été décorée afin de ressembler à un château médiéval. Les murs de pierre étaient recouverts de tapisseries anciennes, et d'énormes torches y étaient accrochées çà et là, plongeant la pièce dans une lumière ambrée et mouvante qui semblait aussi vivante que les danseurs.

«Voici les flammes de l'enfer dans lequel je vais brûler pour l'éternité, sans aucun doute!», se dit Laurence en inspirant profondément.

À quelques mètres d'elle, des hommes et des femmes se mouvaient. Quelques-uns étaient nus; d'autres vêtus d'accoutrements plus bizarres les uns que les autres; la plupart, enfin, habillés de vêtements aussi ordinaires que les siens. Qu'avaient donc tous ces gens en commun? Aucun visage n'était visible, et aucun corps n'était bien loin d'un autre. Des coussins moelleux avaient été disposés le long des murs et, dans de petites alcôves où des couples de toute nature s'ébattaient plus ou moins discrètement sans provoquer la moindre réaction du reste des convives. Très peu d'entre eux, cependant, faisaient carrément l'amour, se contentant la plupart du temps de caresses de plus en plus soutenues.

Après quelques minutes d'observation, Laurence remarqua que les couples prenaient le temps de se séduire. Chacun paraissait chercher le ou la partenaire idéale selon des critères qui excluaient à peu près toutes les exigences normales, à l'exception du désir que dégageaient les corps. Parfois, un de ces mêmes corps semblait avoir trouvé une personne à la hauteur de ses sens; le couple nouvellement formé se caressait alors discrètement, s'explorant mutuellement. Si le désir montait comme ils le désiraient, ils se réfugiaient alors dans un coin et disparaissaient pratiquement de la vue de l'assemblée. S'ils ne se plaisaient pas suffisamment, par contre, chacun partait de son côté, à la recherche de l'homme ou de la femme inconnus qui lui procureraient ce qu'il souhaitait trouver.

Rien ne paraissait frénétique, forcé ou déplaisant. On semblait respecter le désir de chacun de prendre le temps de découvrir ce qu'il était venu chercher, le laissant libre de butiner. Une sorte de politesse et de civisme presque palpables flottaient dans l'air, chacun semblant veiller à la satisfaction de l'autre. Laurence était fascinée. Qui se cachait derrière tous ces masques? Des hommes d'affaires? Des ouvriers? Des mères de famille? Des professionnelles? Peu importait, en fait, ici, car tous avaient le même statut, le même souhait.

Des vases d'argent disséminés un peu partout contenaient des condoms de toutes sortes; les gens allaient librement en chercher, venaient parfois les choisir avec leur partenaire. De petites stations éparses avaient également été installées dans la pièce. On y trouvait des verres et de grands récipients qui semblaient contenir du punch, de l'eau glacée et diverses boissons dont chacun se servait à volonté.

Laurence retira l'écharpe qui lui recouvrait les cheveux, la noua négligemment autour de sa taille et se dirigea lentement vers une des cruches. Sa gorge reconnaissante avala le délicieux philtre qui s'y trouvait, ce qui lui permit de prendre un dernier répit avant de décider si oui ou non, elle se joindrait à la fête.

Elle n'attendit pas bien longtemps. En effet, elle allait se verser un autre verre quand une main douce comme du velours lui chatouilla le cou. Elle ne bougea pas un muscle, refusant de se retourner. Elle accueillit néanmoins cette caresse de bon cœur, car cela lui évitait d'avoir à faire les premiers pas; de briser la glace, en quelque sorte.

La main remonta dans sa chevelure, effleura ses oreilles, dessina chacune de ses courbes d'un doigt habile. Était-ce une main de femme? Ou bien celle d'un homme? «De femme, sans doute», se dit-elle. Un homme savait-il en effet être si doux? Elle ferma les yeux et s'abandonna à cette caresse. La main, encouragée, descendit le long de son dos, lui encercla la taille et vint doucement flatter son ventre, tandis que des lèvres touchèrent son cou. Une bouffée de chaleur monta soudainement à la tête de Laurence, qui se retourna enfin, affrontant l'insolent — mais ô combien attirant — personnage.

Une femme se tenait devant elle, la dépassant d'une bonne tête grâce à des chaussures aux talons vertigineux. Une chevelure d'ébène cascadait sur ses épaules, effleurant ses hanches. Laurence rougit furieusement, flattée et confuse. Des yeux sombres la fixaient à travers un loup orné de paillettes multicolores. Ils semblaient s'harmoniser au sourire tendre qui se dessinait sur les lèvres de l'étrangère. Celle-ci paraissait attendre un signe de la part de Laurence, qui bredouilla :

— Je ne... je n'ai jamais...

— Vous venez d'arriver, je crois. Je vous laisse faire le tour. Peut-être se verra-t-on plus tard ?

— Oui, peut-être.

Laurence ne pouvait nier que les caresses prodiguées par cette femme superbe l'avaient troublée. Mais elle n'était pas venue ici pour connaître les joies qu'une femme pourrait lui apporter. Oh que non ! Elle avait bien d'autres expériences à faire auparavant.

Forte de cette décision, Laurence osa enfin se rendre sur la piste de danse. Des corps s'y mouvaient lentement, laissant les vagues de musique les transporter dans des poses parfois provocantes, parfois lascives. Laurence, pour qui la danse n'était pas coutumière, se laissa enfin aller, timidement au début, puis de manière plus confiante, grisée par ce monde nouveau qui l'entourait. Elle fit abstraction de ses préjugés, de toutes ses attentes, laissant enfin son corps et son esprit savourer le moment présent.

Elle aperçut bientôt un homme qui dansait seul et s'approchait lentement d'elle. Il était de taille moyenne, portait un jean, une camisole noire et un tout petit masque lui cachant à peine les yeux. Ses longs cheveux étaient retenus par une queue de cheval. Il dégageait une certaine arrogance et une maîtrise de lui qui déplurent immédiatement à Laurence. Mais il était déjà tout près d'elle, alors il était trop tard pour fuir.

— Tu me veux ? demanda-t-il de manière très directe.

— Je ne sais pas… Je viens juste d'arriver.

— Allez… avoue, tu me veux.

Joignant le geste à la parole, il lui saisit sans ménagement les seins, puis les fesses, plaquant son corps contre celui de Laurence en plaçant rudement un genou entre ses jambes pour lui faire écarter les cuisses. Paniquée, Laurence se raidit d'un seul coup. Elle ne savait pas du tout quoi faire. Heureusement, un homme à la carrure athlétique fit soudain son apparition, repoussant l'intrus de façon polie, mais convaincante.

— Merci… Je ne suis pas vraiment habituée à ce genre de comportement.

— Il n'a pas sa place ici. C'est probablement un type qui est entré avec une invitation adressée à quelqu'un d'autre… Malheureusement, ce sont des choses que nous ne pouvons éviter. Désirez-vous que je vous laisse?

— Non! Non, au contraire…

L'inconnu était vêtu d'une chemise toute simple et d'un pantalon ample retenu par une fine ceinture de cuir. Il plaça les mains de Laurence autour de sa taille, qu'elle palpa d'une main légère et hésitante, avant de se laisser aller à parcourir ce corps ferme et ce dos ciselé. Ses mains coururent le long des côtes de l'homme, explorant chaque muscle qui s'offrait à elles, du cou massif aux fesses rebondies. Laurence apprécia ce qu'elle touchait. Elle aurait même bien voulu voir le visage de son partenaire, mais il était entièrement recouvert d'un masque de feutre, et non d'un simple loup qui aurait permis de distinguer ses traits… Laurence tenta donc de glisser ses doigts sous le masque, afin de sentir la mâchoire et les lèvres de l'inconnu, mais celui-ci lui saisit le poignet, doucement mais fermement. Il happa ensuite son autre poignet et les joignit derrière sa nuque, où elle put au moins caresser de doux cheveux bouclés. Les mains puissantes de l'homme descendirent au même instant le long de son corps, effleurant au passage la courbe de ses seins, sa taille et ses fesses. Il se fit rapidement plus insistant, la soulevant presque de terre, massant son dos et pétrissant ses fesses d'un toucher à la fois énergique, passionné et délicat.

— Viens…, murmura-t-il.

Laurence le suivit sans sourciller dans une des alcôves, convaincue qu'il était maintenant trop tard pour reculer. L'homme la souleva alors complètement, réussissant à l'asseoir sur une saillie du mur. Elle entoura la taille de l'inconnu de ses jambes, écrasant son corps frémissant contre la poitrine chaude et invitante de son partenaire. Elle aimait son parfum, appréciait son toucher, ses mains sur elle. Elle eut néanmoins le besoin pressant de l'embrasser, de regarder son visage.

— Enlève ton masque, souffla-t-elle.

— C'est le but de cette soirée… préserver l'anonymat. Je ne peux pas l'enlever…

— Mais je veux t'embrasser, voir ton visage!

— Tu l'auras voulu…

L'homme retira son masque… mais un large bandeau noir lui recouvrait les yeux et le front! Il avait donc prévu le coup… mais pas elle, qui grimaça d'étonnement. Une importante cicatrice parcourait sa joue droite, débutant sous le bandeau vis-à-vis de l'œil, traversant la lèvre et se terminant à l'extrémité gauche du menton. Certain que cette image lui déplaisait, l'inconnu se prépara à la quitter. Laurence le sentit et se dépêcha d'embrasser la balafre, laissant sa langue la parcourir, avant de s'arrêter sur les lèvres de l'homme, puis de l'embrasser à pleine bouche. La jeune femme lui mordilla ensuite le cou et les lèvres, buvant son odeur comme si elle était assoiffée.

Les mains de l'inconnu s'emparèrent alors de la robe de la jeune femme, puis glissèrent sur son dos afin de dégrafer son soutien-gorge. Il découvrit enfin ses seins, qu'il embrassa fougueusement. Puis son cou, sa bouche, ses yeux. Laurence était toujours perchée sur la saillie du mur. Dans son dos, de la pierre éraflait sa peau alors que, sur son ventre, le sexe gonflé de l'homme se faisait impétueux. Il la souleva une autre fois, remonta sa robe sur ses hanches et fit descendre sa culotte d'une main habile. Laurence se retrouva presque entièrement nue, sa robe chiffonnée autour de la taille constituant le dernier vestige de sa trop longue abstinence. L'inconnu la déposa alors sur les coussins, retira son pantalon et explora ses cuisses de ses mains expertes. Laurence put à peine réprimer un petit cri. En effet, elle sentait son sexe ruisseler et une douleur sourde lui envahir le ventre. Quand l'homme déposa sa langue chaude sur son clitoris sans prévenir, elle jouit d'un seul coup, sans pouvoir ni vouloir se retenir. Son corps trembla tant que l'homme s'en rendit compte et lécha goulûment la sève chaude qui s'échappait d'elle. Sa main prit aussitôt le relais, massant cette peau qui désirait tant être caressée. Et Laurence se laissa aller à cette douce étreinte, la tête renversée sur les coussins.

C'est là qu'elle la vit. La femme qu'elle avait rencontrée au début de la soirée se tenait discrètement dans un coin de l'alcôve, observant attentivement les deux amants. D'un geste lent, en s'assurant que Laurence la distinguait, elle glissa une de ses longues mains entre ses cuisses, laissant les doigts fins de son autre main se perdre dans la douce chevelure de la jeune femme. Tandis que l'homme continuait à pénétrer Laurence de ses doigts hardis, l'étrangère s'approcha et prit place au niveau de la tête de Laurence. Elle lui effleura doucement les seins, puis les lécha de ses lèvres écarlates. Celles-ci se refermèrent sur les pointes bien dressées des petits seins de Laurence, laissant sur leur passage des traces de rouge à lèvres foncé tout autour des mamelons. Puis, elles glissèrent le long de sa gorge, jusqu'à sa bouche offerte.

Complice, l'homme se retira et laissa l'étrangère se placer

au-dessus de Laurence, puis frotter ses énormes seins contre les siens. Les sueurs des deux femmes se mêlèrent, de même que leurs odeurs. La jambe de l'étrangère écarta les cuisses de Laurence, laissant leurs sexes se frotter l'un contre l'autre, leurs sèves intimes séparées seulement par le mince tissu de la robe de l'inconnue. Puis, lentement, l'inconnue embrassa le ventre et les hanches de Laurence, jusqu'à ce que sa langue vienne enfin goûter son sexe bouillant de désir. Laurence protesta faiblement. Elle n'était pas venue ici pour faire l'amour à une femme, après tout... C'était l'homme qu'elle voulait avec tant d'ardeur! La femme le sentit et lui dit:

— Ne crains rien, il sera bientôt à toi...

Sur ces mots, ses doigts écartèrent les lèvres gonflées de Laurence, découvrirent le petit bouton bien exposé et s'en emparèrent. Par mouvements circulaires des doigts, puis de la langue, l'étrangère fit frémir, puis jouir Laurence avant de disparaître soudainement dans un nuage de soie. L'homme, quant à lui, ne s'était pas du tout offusqué de s'être fait voler la vedette. Il avait observé d'un air gourmand le spectacle offert par les deux femmes glissant l'une sur l'autre, leurs deux corps emmêlés. Laurence était bien un peu confuse du plaisir qu'elle venait de ressentir contre toute attente, mais elle sourit à l'homme, qui semblait attendre un geste de sa part pour revenir vers elle. Il reprit donc sa place et lui procura, des doigts et des lèvres, de nouvelles sensations exquises. Laurence n'était plus qu'un immense sexe, moite et gonflé, se repaissant, se gavant de ces caresses tant attendues. Toute logique, toute rationalité l'avaient quittée. Elle n'était plus qu'un corps auquel des étrangers prodiguaient des soins indescriptibles. Sa gorge était sèche, et des larmes de bonheur coulaient discrètement de ses yeux embués.

Elle sentit très vite une nouvelle vague la soulever, balayant toute trace de lucidité sur son passage, puis la dévaster, la posséder et l'élever dans un orgasme bouleversant. Avant même que son corps ne se soit calmé, l'homme la releva et la déposa de nouveau contre la saillie du mur, puis s'enfonça complètement en elle, achevant de la combler. Elle se sentit emportée par son membre immense. L'était-il vraiment, cependant? Elle n'aurait su le dire, ses références personnelles étant trop peu nombreuses. Elle sentait seulement qu'il était dur comme fer, telle une lance ondulant en elle. Chaque assaut de son amant faisait cogner son dos contre le mur de pierre, meurtrissant délicieusement sa peau. L'homme la possédait entièrement, allant et venant en elle de tout son corps, tendrement, puis plus brutalement. Quand il jouit à son tour, un ultime frisson la secoua et elle retomba sans force dans ses bras, molle comme une poupée de chiffon.

Son partenaire la coucha délicatement sur les coussins de velours. Elle glissa dans une douce léthargie pendant quelques instants. Mais quand elle rouvrit les yeux, son bel inconnu avait disparu. Elle était de nouveau seule. Laurence voulut retenir en elle ce sentiment de détachement, cet abrutissement. Mais déjà, ce corps solide lui manquait. Elle avait tant attendu, en désirait tellement plus! Elle se rhabilla rapidement, les jambes chance-lantes, et partit à la recherche de son amant. Était-il déjà avec quelqu'un d'autre? N'étaient-ils pas censés dire quelque chose? Tenter de se revoir, peut-être?

Elle parcourut la salle une première fois sans le voir. Elle se servit ensuite un verre d'un geste incertain et tenta encore de le trouver. Mais il semblait s'être volatilisé. Elle fit alors le tour de toutes les alcôves avec une urgence de plus en plus grande, essayant, malgré le sentiment de panique qui l'habitait, de se faire discrète. Parmi tous les couples enlacés — hommes-femmes, femmes-femmes, hommes-hommes —, il n'était nulle part. Elle hésita. Devait-elle rester encore un peu dans l'espoir de le voir réapparaître? Ou risquer de l'apercevoir avec quelqu'un d'autre et détruire ce qui deviendrait, sans doute, un précieux souvenir? En désespoir de cause, Laurence ravala sa frustration et quelques larmes, puis se dirigea vers la sortie.

— Vous aimeriez un taxi, Madame? s'enquit un homme derrière le comptoir.

— Oui, ce serait gentil, merci.

C'était le même homme qui l'avait accueillie à son arrivée. Il se retourna vers le téléphone derrière lui, ce qui permit à Laurence de remarquer le petit ordinateur portatif et la clé USB qui traînait tout près. Elle ne prit même pas la peine de songer à ce qu'elle faisait et s'empara, d'un geste rapide et furtif, de la clé, identifiée «Invités». Une fraction de seconde plus tard, l'homme se retourna et lui assura que le taxi arriverait d'un moment à l'autre. Elle le remercia, affirmant qu'elle irait l'attendre à l'extérieur, et s'enfuit dans la nuit.

• • •

Cela dura un mois. Chaque fois qu'elle sortait, Laurence cherchait un homme arborant une longue cicatrice sur le visage. Elle croyait le voir partout, et pourtant, ce n'était jamais lui. Sa quête devenait une hantise, un délire. Elle accostait de parfaits étrangers dans la rue simplement parce que, de dos, ils avaient la même carrure que celui qu'elle cherchait avec tant d'urgence. Cette nuit-là l'avait complètement transformée. Comment pourrait-elle jamais recommencer à vivre comme avant? Elle devait impérativement connaître à nouveau ces sensations, avec lui ou avec quelqu'un d'autre. Mais avec lui, de préférence…

Elle réalisait bien que l'amplitude de son plaisir venait probablement, en grande partie, du fait qu'elle ne savait rien de cet homme. Mais une petite voix lui murmurait sans cesse, telle une idée fixe, que c'était lui et personne d'autre qu'elle devait revoir. Pas juste un homme, lui et lui seulement. Toutefois, peut-être était-il marié ou vivait-il dans une autre ville? Ces pensées la hantaient.

Et cette damnée clé qui ne lui avait rien appris... Elle avait été aussi étonnée de son contenu que de l'audace dont elle avait fait preuve. La clé contenait effectivement la liste de tous les invités, mais comment Laurence pourrait-elle retrouver un homme dont elle ignorait même le nom? Une liste de personnes lui était en ce sens tout à fait inutile. Si au moins elle avait eu un indice... un prénom, quelque chose! Elle aurait toujours pu se présenter chez chaque homme de la liste... mais sans un solide subterfuge, elle n'aurait jamais le courage de le faire. Après un mois d'insomnie et de désirs inassouvis, Laurence était désespérée.

Ce fut alors que, subtilement, l'idée germa dans sa tête. Elle cogita pendant plusieurs jours, pesant le pour et le contre de cette initiative, avant d'en arriver à la certitude que c'était le seul et le meilleur moyen de parvenir à ses fins. Sans plus attendre, Laurence mit donc son plan à exécution, étape par étape. Elle avait tout d'abord des recherches à faire pour dénicher le site idéal, qu'elle finit par trouver. Ensuite, pour l'étape cruciale de son plan, elle prit un jour de congé — son travail avait pourtant déjà assez souffert, ces dernières semaines! — et mit finalement son projet au point.

Quelques jours plus tard, aux quatre coins de la ville, une centaine de personnes reçurent un joli carton d'invitation, sur lequel était écrit:

Vous qui avez contribué
à faire de notre premier bal masqué
un succès inespéré,
Vous qui vous êtes joint à nous auparavant
dans la recherche des plaisirs interdits,
Vous qui savez aborder vos désirs et vos passions,
Vous qui appréciez la discrétion de nos explorations...

« Cher Julien »

Cher Julien,

Je t'ai vu jouer au Crystal Club, samedi dernier. Tu étais resplendissant, comme d'habitude. Mes copines me disaient que j'aurais dû aller te voir, te parler, essayer de t'intéresser, mais j'en ai été incapable. Ce n'est pourtant pas la première fois que j'y pense !

Je dois être ta plus fidèle admiratrice. Mais tu dois en avoir des tonnes… Pas comme moi, cependant, ça je te le jure.

J'ignore si c'est ton visage, perdu dans je ne sais quel monde, tes mains caressant les cordes de ta guitare ou ton talent sublime qui me mettent dans cet état lorsque je te vois. Tes longs doigts, lorsque je les regarde se balader amoureusement sur le manche de ton instrument, semblent sentir chaque vibration, la faire naître et mourir… En tout cas, quelque chose en toi me projette dans un état de transe. Plus rien n'existe. Aucun autre son, aucune autre image. Je ne suis plus dans un bar bruyant, il n'y a plus de fumée ni personne autour. Je flotte dans une sorte de bulle qui ne contient que toi. Seulement toi, ton regard éperdu et ta musique.

Peut-être, la prochaine fois, me déciderai-je enfin à t'aborder ? Je n'en sais rien. Pour le moment, tout ce que j'ose faire, c'est te montrer que j'existe. Qu'il y a, quelque part, une femme qui brûle d'envie de te connaître, qui serait folle de joie à l'idée qu'une de ces mélodies, à laquelle tu donnes vie, soit inspirée par elle.

Mais je m'emballe ! Pardonne-moi. Je me contenterai de découvrir où tu te produiras prochainement, et j'irai t'observer, t'admirer… te désirer.

À bientôt,

X

Julien n'en revenait tout simplement pas! De toute sa carrière, il ne lui était jamais rien arrivé de semblable. À bien y penser, le mot «carrière» était peut-être un peu exagéré. La musique, qui lui avait à peine procuré de quoi se nourrir et se loger au cours des quatorze dernières années, lui avait valu plus de soucis que de gloire. Cette même musique dont il ne pouvait se passer et qui lui avait finalement coûté Janelle.

Il froissa la lettre qu'il venait de lire, puis se ravisa. Quel homme pouvait se permettre de jeter aux ordures une telle déclaration? Elle venait probablement d'une adolescente ou d'une jeune femme à peine assez âgée pour pouvoir légalement entrer au Crystal Club... ou alors, de quelque vieille fille frustrée n'ayant pour seul recours qu'un moyen aussi détourné pour lui montrer son intérêt. Il ne pouvait cependant nier son contentement. Il n'avait en effet jamais — depuis aussi longtemps qu'il s'en souvienne — fait l'objet d'une telle admiration de la part d'une femme. Même de la part de Janelle...

Ils s'étaient rencontrés dans un de ces bars à la mode où il jouait avec son groupe. Il l'avait tout de suite remarquée, mais n'arrivait pas à trouver quelque chose d'intelligent ou de cohérent à articuler pour entamer la conversation avec elle. Il faut dire, pour sa défense, qu'il était plutôt habitué à voir les femmes faire les premiers pas, même si cela n'aboutissait généralement pas à grand-chose de concret. Surtout dans ce genre d'endroits... Mais Janelle n'avait pas daigné lever les yeux vers lui. Ce n'avait été que plus tard, durant le spectacle, lorsque Ian, le chanteur, avait demandé si quelqu'un dans la foule avait envie de venir «blueser» avec le groupe, qu'elle s'était levée. Elle était montée sur scène d'un pas confiant et, après lui avoir adressé un sourire à faire fondre n'importe quelle banquise, s'était mise à chanter.

Il avait immédiatement senti les premiers signes annonciateurs du fameux coup de foudre. Ses mains s'étaient couvertes d'une fine couche de sueur, gênant son jeu à la guitare, et sa tête s'était mise à bourdonner pour une toute autre raison que la batterie tonitruante, à quelques pas de lui. L'adrénaline, qui avait envahi son système nerveux, lui avait presque fait croire qu'il était tombé malade. Mais non, ce n'était qu'elle...

Bref, la soirée s'était poursuivie beaucoup mieux qu'elle n'avait commencé. Vers deux heures du matin, Julien était déjà éperdument amoureux d'une fille dont il ne savait que très peu de choses. Seulement qu'elle ne cachait aucun grand secret pouvant tout gâcher — pas de mari ténébreux ni de problème à l'horizon... Elle était à l'image de ses rêves, et ils vécurent ensemble pendant plus de quatre ans.

Il chassa ces pensées de son esprit avant qu'elles ne deviennent douloureuses et reporta son attention sur la lettre de son admiratrice. Malgré le souvenir de Janelle et du chagrin qu'elle lui avait infligé, il ne put s'empêcher de ressentir une pointe de curiosité et de fierté.

• • •

Il reçut un autre message, quelques jours plus tard.

Mon très cher Julien,

Hier soir, tu étais encore plus attirant que d'habitude. Ce sont tes cheveux qui m'ont enflammée au lieu de tes mains, cette fois-ci. L'éclairage rendait tes boucles si brillantes... Je les imaginais effleurer doucement mon visage.

Je ne te vois jamais avec une femme, Julien. As-tu été blessé ? Peut-être ne peux-tu te contenter d'une seule maîtresse ? Hier soir, je t'imaginais nu sur scène. Je te voyais seul sous les lampes multicolores, ton corps baignant dans cette orgie de couleurs. Et moi, si près de toi, j'étais immobile et je t'admirais secrètement.

Bientôt, j'aurai le courage de me présenter à toi. J'ai seulement besoin de la certitude que ton corps et ton cœur n'appartiennent à

personne. Je me donnerais à toi tout entière, si je le savais...
À bientôt, Julien,
X

Ah! Elle voulait être certaine que son cœur n'appartenait à personne? Cette phrase le ramena malgré lui aux quatre années de bonheur presque total qu'il avait partagées avec Janelle. Ce bonheur interrompu si stupidement...

Il parvenait, à l'époque, à subvenir de peine et de misère à ses besoins, mais elle, de son côté, peignait et vendait de plus en plus de toiles. Elle avait commencé à lui reprocher fréquemment de ne pas la gâter autant qu'elle le faisait de son côté. Quand il essayait de lui faire entendre raison au sujet d'un voyage hors de prix, soulignant qu'il était peut-être plus sage et tout aussi satisfaisant de rester près de chez eux, elle l'accusait d'égoïsme et de ne plus l'aimer suffisamment pour consentir à faire de petits sacrifices. Selon elle, il ne gagnait pas assez d'argent et ne lui prouvait pas adéquatement son amour, alors qu'elle était de plus en plus riche et généreuse. Or, on sait bien que les femmes, par définition du moins, sont parfaites! Mais l'attitude de Janelle devenait de plus en plus insupportable. Jusqu'au jour où elle lui lança au visage qu'elle était persuadée qu'il s'obstinait à continuer «son petit groupe minable» dans le seul but de se faire harceler par de belles jeunes filles à longueur de soirée.

Cela avait été le coup de grâce à leur relation. Pour la première fois en plus de quatre ans de vie commune, elle s'était abaissée à l'insulte suprême, refusant de comprendre les motivations profondes de Julien. Pourtant, jamais il ne lui avait laissé croire qu'il pourrait lui être infidèle. Jamais! Il n'osait même pas faire mine de regarder une autre femme, sachant que sa tendre moitié était très possessive et susceptible. De plus, il en était toujours follement amoureux. Pacifiste de nature, plutôt que de répondre à cette accusation sans fondements, il s'était tu pour éviter une discussion désagréable. Janelle était, de toute façon, convaincue d'avoir toujours raison...

Cela faisait deux mois qu'elle lui avait lancé l'ultimatum suivant: soit il s'arrangeait pour avoir une vie plus normale, c'est-à-dire avec un revenu supérieur à celui qu'il avait habituellement et une présence assurée à l'appartement après vingt-deux heures, soit il devrait trouver un nouveau logement et une autre personne avec qui le partager.

Pour une fois, Julien avait tenu bon, ne sentant plus le besoin de justifier son mode de vie. Il était parti sans faire de vagues, sans protester. Mais le hic, c'est qu'elle lui manquait terriblement. Il s'était retenu, les premiers jours, d'essayer d'arranger les choses. Ne recevant aucun signe de sa part, il s'était finalement résigné. Il était peut-être temps, après tout, de tourner la page.

Il resta près de deux semaines sans nouvelles de sa mystérieuse correspondante. Mais il était vrai que ses spectacles n'étaient plus aussi fréquents. Julien commençait à penser que sa mystérieuse groupie avait trouvé quelqu'un d'autre quand, en sortant de la loge d'un bar miteux, il remarqua une feuille pliée à son nom, collée sur la porte au moyen d'un petit bout de ruban adhésif.

Bonjour, musicien de mon cœur,

Pardonne-moi de ne pas t'avoir donné signe de vie, mais j'ai raté ton dernier spectacle. Ça n'arrivera plus jamais, crois-moi! Tu penses peut-être que je suis un peu bizarre ou que je me cache derrière ces lettres parce que ce que j'aurais à te montrer n'est pas très flatteur. Crois-moi, il n'en est rien. Tu le sauras d'ailleurs bien assez tôt...

Je te quitte, mais ce n'est qu'un au revoir. À très, très bientôt, Julien...

X

• • •

Ce soir-là était très important pour l'avenir du groupe de Julien. Six formations allaient se produire sur la scène d'une salle prestigieuse, et il était censé y avoir sur place plusieurs personnalités de l'industrie en quête de la prochaine sensation. Tous les membres du groupe étaient extrêmement nerveux, mais d'une manière positive. Ils avaient d'ailleurs passé une partie de la journée à installer leur matériel, chaque formation s'efforçant de bénéficier de la meilleure sonorisation possible pour marquer les esprits, le moment venu. Ils tentaient tant bien que mal de se détendre dans la loge qu'on leur avait assignée quand André, le préposé à l'entrée, vint frapper à leur porte. Il présenta une lettre à Julien en lui adressant un petit clin d'œil complice. Celui-ci bondit de son fauteuil, et en voyant à la tête d'André que la mystérieuse inconnue était bien venue, il tenta de lui arracher une description.

— Oh! tu sais, moi… C'était une fille. Assez grande. Elle portait une casquette, alors je n'ai pas vraiment vu ses cheveux, et elle a gardé ses lunettes fumées, alors… mais elle avait l'air bien, dans son genre.

André n'était pas d'un grand secours. Gai et fier de l'être, il prétendait que les filles se ressemblaient toutes. Excédé, Julien déchira le coin de l'enveloppe.

Salut, Julien adoré,

Je serai à tes côtés, ce soir. Je te regarderai et penserai très fort à toi. Je suis certaine que vous aurez un succès monstre… Il serait presque dommage que nous ne puissions le partager ensemble. Qui sait, peut-être ce soir sera-t-il le bon ? En tout cas, je passerai la soirée à peser le pour et le contre. Mais je peux te promettre que tu ne seras pas déçu quand, enfin, nous nous rencontrerons.

À plus tard, donc, peut-être. Ou du moins, à bientôt…

X

Julien lut le message à plusieurs reprises. Il espérait que l'inconnue se manifesterait, surtout si le spectacle se passait bien. Si, au contraire, cette soirée tournait mal, il serait sûrement morose et n'aurait pas envie de faire la conversation à une étrangère qui, de surcroît, ne serait probablement pas du tout son genre. Il plaça finalement l'enveloppe dans son étui à guitare avec les précédentes. On verrait bien...

Julien fit de son mieux pour se concentrer sur le spectacle à venir. Les autres membres de son groupe passaient les différents morceaux de leur prestation en revue afin d'éviter, dans la mesure du possible, les accrochages imprévus. Mais il avait la tête ailleurs. Et si cette femme lui faisait oublier Janelle une bonne fois pour toutes? Il l'avait tant aimée, malgré ses sautes d'humeur et son piètre appétit sexuel. Il avait d'ailleurs été perturbé, au début, par la rareté avec laquelle elle se donnait à lui. Mais il devait bien admettre que chaque fois qu'ils faisaient l'amour était inoubliable. Janelle ne faisait pourtant pas preuve d'une imagination extraordinaire et ne se prêtait pas à des jeux sexuels particuliers, mais elle se laissait aller dans un certain état d'abandon qui la rendait attachante et attendrissante. Julien effaça ces images de son esprit pour revenir à lui, tentant une fois de plus d'enfouir ces douloureux souvenirs. Peut-être, après tout, aurait-il une agréable surprise en rencontrant sa nouvelle admiratrice...

Il se posait encore d'innombrables questions au moment de monter sur scène. Les musiciens se donnèrent une petite claque d'encouragement dans le dos — un rituel lors des soirées importantes —, et se dirigèrent vers leurs places respectives. L'atmosphère était surchargée, la salle comble. La foule les accueillit comme s'ils étaient attendus, et chaque membre du groupe se laissa aller, avec confiance, à donner le meilleur de son instrument.

Dès les premières mesures, Julien se sentit invincible. «C'est pour ça que je fais de la musique!», se dit-il après une pièce particulièrement bien interprétée et à laquelle l'auditoire réagit avec enthousiasme. En réalité, tout se passait si bien que Julien en ressentait un plaisir presque d'ordre sexuel. Si Janelle avait pu ressentir quelque chose de si fort, une telle exaltation en l'entendant jouer, jamais elle n'aurait agi de la sorte. L'adrénaline maintenait en fait Julien sur la corde raide entre le songe et la réalité, procurant à ses nerfs une sensibilité reflétée dans son jeu. Durant le solo de guitare qu'il fit au cours du tout dernier morceau de son groupe, il se sentit comme un dieu et aurait été prêt à jurer qu'il n'avait jamais donné une si bonne performance. Il se rendit alors soudainement compte qu'il avait de la chance que sa guitare soit devant lui. En effet, l'érection latente qu'il avait depuis le début du spectacle s'était transformée en véritable bombe à retardement!

Les cinq musiciens quittèrent la scène sous les applaudissements. «On les a eus!», se disaient-ils, tandis qu'ils se serraient dans les bras les uns des autres. Aucun d'entre eux n'osait dire tout haut quoi que ce soit, mais leurs sourires en disaient long. Quand les applaudissements scandés et insistants de la foule les rappelèrent sur scène, ils y coururent. Le morceau qu'ils jouèrent en rappel sembla autant plaire au public que les précédents, et Julien s'en retrouva encore plus excité. Son membre manifesta sa satisfaction en prenant davantage d'ampleur encore.

Quand, enfin, ils quittèrent les planches pour de bon, les musiciens étaient survoltés. Ne disposant que d'une demi-heure pour débarrasser la scène de leur équipement, ils s'empressèrent de se diriger vers la loge afin de se réjouir.

Julien étant en dernière position, personne ne réalisa qu'il ne suivait plus. Une femme, qu'il ne pouvait discerner, lui avait en effet saisi le bras et l'avait entraîné dans un petit réduit noir comme la nuit. Une porte se referma derrière lui. Il tenta de protester, mais l'inconnue plaqua sa bouche humide sur ses lèvres. Et quelle bouche! Une langue l'envahit aussitôt. Exigeante, mais aussi timide, hésitante comme si elle devait absolument contrôler une passion difficilement maîtrisable. Ce baiser sembla durer de longues minutes, avant que le musicien n'esquisse un geste pour se défaire de l'emprise de l'étrangère.

— Julien, je t'en prie, ne pars pas...

La voix de cette femme était douce, presque chuchotée. Elle ne donna pas à Julien le temps de rétorquer quoi que ce soit en se remettant aussitôt à l'embrasser. Lui, qui n'avait rien perdu de son érection, sentit celle-ci monter d'un cran, tout en réfléchissant très vite. Était-ce sa mystérieuse correspondante? À quoi ressemblait-elle? Ses baisers étaient fort agréables, mais il n'avait aucunement envie de voir, à sa sortie du cagibi, que celle qui l'avait agressé faisait dans les cent-cinquante kilos et avait un visage de sorcière! Il avança donc des mains hésitantes pour toucher la taille de la femme. «Hum! pas mal! J'en fais le tour avec mes mains, c'est bon signe!», se dit-il. Il laissa ensuite ses mains descendre le long des hanches de l'inconnue et n'y rencontra que des courbes agréables.

La mystérieuse groupie, encouragée par son geste, se fit plus hardie. Grâce à une de ses cuisses bien placée, elle jugea la réaction de l'entrejambe de Julien et ne fut pas déçue. Ses petites mains lui agrippèrent les fesses, descendirent le long de ses cuisses, puis passèrent à l'avant, où elles tentèrent de défaire son pantalon.

— Eh! Je dois retourner là-bas..., protesta faiblement Julien.

— Oui, dans une minute, chuchota-t-elle.

Elle se baissa lentement et graduellement, déposa au passage quelques baisers furtifs le long du cou du musicien encore moite, ainsi que sur sa poitrine. Profitant de ce mouvement, Julien laissa ses mains glisser sur deux seins volumineux et fermes, qui semblaient être à l'étroit sous une chemise ajustée. «De mieux en mieux!», se dit-il. Mais voilà, il devait vraiment retourner à la loge pour aider les membres du groupe. Toutefois, comment se sortir d'une situation qui n'était, tout compte fait, vraiment pas désagréable? «Quel homme serait assez stupide pour ne pas vouloir en profiter?», songea-t-il pour se donner bonne conscience.

Son agresseur, quant à elle, avait déjà pesé le pour et le contre et poursuivait un but bien précis. Après avoir enfin réussi à baisser le jean devenu trop serré du musicien, elle semblait vouloir apprivoiser sa queue maintenant libre de toute entrave par de petits coups de langue malicieux. Julien gémit, décidant qu'après tout, les gars pourraient bien se débrouiller sans lui. Sa conviction se renforça quand la bouche gourmande engloutit presque complètement son membre, le caressant d'une langue bien mouillée et y laissant couler sa chaude et douce salive.

Un dernier soubresaut de lucidité poussa Julien à vouloir sentir la chevelure de sa bienfaitrice, afin de s'en faire ne serait-ce qu'une esquisse. Mais elle portait une casquette ample, un genre de béret sous lequel ses cheveux semblaient retenus en chignon. Oh, et puis finalement, peu lui importait, elle avait tant de savoir-faire! Et elle semblait réellement vouloir le tourmenter. Après quelques minutes, sa queue ruisselait. La main de l'inconnue prit alors la relève. De ses doigts légers, elle lui massa délicatement les testicules, les séparant tendrement avant de les serrer l'un contre l'autre dans une étreinte brûlante.

— Je suis désolée, Julien, mais je ne pouvais plus attendre, murmura-t-elle.

— Ce n'est… ce n'est rien, je t'assure. Mais pourquoi te cacher ainsi?

— Un jour, je t'expliquerai.

Elle conclut ce dialogue en prenant de nouveau sa queue entre ses lèvres, jusque dans sa gorge. Julien se sentait enfoui en elle profondément; trop, peut-être même. Il était abasourdi devant tant de véhémence, mais ne s'en plaignait pas le moins du monde, d'autant plus que c'était le genre de choses que Janelle avait toujours refusé de faire pour lui… Il songea à l'incongruité de la situation: il était enfermé dans une armoire à balais avec une parfaite inconnue qui lui taillait une pipe comme il n'en avait jamais eue auparavant. Ça lui arrivait à lui! Maintenant!

Comme pour le convaincre que ce qu'il ressentait était bien réel, la bouche de l'étrangère se fit encore plus insistante. Elle le suçait de plus en plus vite, de plus en plus fort. Sa main avait aussi repris son mouvement sur ses bourses, qu'il sentait prêtes à éclater. Dans une suite effrénée de glissements et de succions, elle parvint sans peine à amener l'homme qu'elle admirait à exploser dans un jet puissant, inondant du même coup sa bouche bienveillante.

Julien tenta de reprendre son souffle tandis que l'inconnue se décollait de lui. Il voulait pourtant lui poser tant de questions! Mais il aurait tout le temps, plus tard… Néanmoins, avant même que sa respiration ne soit revenue à la normale, il vit la lumière s'infiltrer par la porte qui s'ouvrait, sentit quelqu'un le frôler et s'aperçut, trop tard, que sa mystérieuse groupie était déjà partie.

L'épisode ne devait avoir duré que quelques minutes, dix tout au plus, mais Julien aurait juré que des heures venaient de s'écouler. Des heures de plaisir intense, évidemment… Il resta encore un peu de temps dans le cagibi obscur afin de reprendre ses esprits, se demandant s'il avait rêvé. Mais son pantalon tortillé et sa queue frémissante témoignaient du contraire. Il ne savait trop comment réagir. Il n'allait tout de même pas se révolter contre le fait que quelqu'un se soit servi de lui de la sorte, quand même! Non, le plaisir avait été trop grand. Mais il ignorait tout ou presque de sa bienfaitrice. «Au moins, son corps semblait pas mal du tout!», conclut-il, le sourire aux lèvres. En définitive, ce qui importait, c'est qu'il avait joui avec une intensité surprenante.

Julien remit rapidement son pantalon, passa une main encore incertaine dans ses cheveux en bataille et se dirigea vers la loge de son groupe.

En le voyant arriver, les musiciens ne purent s'empêcher de le narguer :

— Où étais-tu ? Tes *fans* ne te laissaient pas tranquille ?

— Vous ne croyez pas si bien dire ! répondit le guitariste, un sourire énigmatique aux lèvres.

Ils quittèrent ensemble la loge, puis Julien prit le temps de s'asseoir et de s'ouvrir une bière, se demandant quand l'inconnue referait son apparition. Il était convaincu qu'elle se manifesterait d'une minute à l'autre. Elle n'était cependant toujours pas là quand il eut terminé sa consommation... Un peu déçu, il se releva péniblement, curieux de savoir ce qui l'avait tant épuisé : le spectacle ou la suite de ce dernier ?

Il rejoignit bientôt les autres sur scène, ramassant rapidement son équipement, afin de laisser la place au groupe suivant. Il se prit ensuite une seconde bière avant d'aller vider la loge de ses effets personnels. Il y rencontra Fred, qui lui demanda, surpris, s'il partait tout de suite. Julien rétorqua qu'il allait simplement ranger son ampli dans sa voiture et les rejoindrait très vite. Mais Fred, qui avait remarqué l'étrange sourire qu'affichait le musicien, ne put s'empêcher de lui demander :

— Est-ce notre performance ou autre chose qui te fait sourire comme ça ?

— Tu ne croiras jamais ce qui vient de m'arriver. Figure-toi qu'en quittant la scène...

— Ouste, les gars ! Laissez la place aux suivants !

Un des organisateurs de la soirée venait d'apparaître, coupant net les confidences. Les deux hommes se retrouvèrent toutefois au bar quelques instants plus tard et passèrent le reste de la soirée à boire, à se féliciter, à boire un peu plus, à écouter les autres groupes et à boire toujours davantage. Julien fouillait la salle du regard, espérant, à tout instant, apercevoir une jolie fille portant une casquette. Mais l'inconnue resta dans l'ombre. À la fin de la soirée, la bière avait éteint ce qui restait du brasier dans l'entrejambe de Julien. Il ne chercha donc plus. Passablement éméché, il finit par raconter à Fred son heureuse mésaventure, même s'il n'était plus du tout certain de l'avoir bien vécue. Il la lui relata avec le plus de détails possible, le laissant s'exclamer de jalousie. En quittant le bar, ce soir-là, il se demanda malgré tout s'il n'aurait pas dû demeurer silencieux.

· · ·

À partir de cette soirée, les événements se précipitèrent. Le groupe de Julien se vit offrir un intéressant contrat d'enregistrement. Du même coup, leurs spectacles se raréfièrent, les musiciens préférant se préparer à endisquer. Au fil des jours, Julien pensait de moins en moins à l'inconnue qui lui avait accordé de si agréables faveurs. En fait, il ne croyait presque plus en son existence, sauf la nuit, au cours de laquelle il l'espérait entre ses draps. Elle ne lui avait pas donné signe de vie depuis trois semaines. Aurait-elle été déçue? Lui avait-il déplu? Pourtant, c'était elle qui avait tout fait! Justement, peut-être s'attendait-elle à un geste similaire de sa part, qui sait? Mais elle était partie avant qu'il n'ait pu dire quoi que ce soit! Alors, tant pis pour elle!

Julien ne se doutait pas qu'au même moment, celle-ci discutait au téléphone avec Fred. Elle voulait en fait obtenir son aide pour la prochaine surprise qu'elle réservait à Julien.

— Salut, Fred. C'est Janelle…

— Janelle? Eh bien… salut. Ça va?

— Oui, oui. Écoute, comme tu t'en doutes, je ne t'appelle pas pour t'entretenir de ma santé. Est-ce que Julien t'a parlé de quelque chose de spécial qui lui serait arrivé au spectacle, l'autre soir ?

Fred demeura silencieux quelques instants, se remémorant l'histoire abracadabrante de Julien le soir de leur dernier spectacle. Il ne l'avait crue qu'à moitié, en fait.

— C'était donc vrai ? C'était toi ?

— J'ignore ce qu'il t'a raconté au juste, mais oui, c'était moi. Ça peut te sembler étrange, comme méthode, mais j'ai mes raisons. Et puis, il me manque tellement…

— Écoute, Janelle… Je ne tiens pas vraiment à être impliqué dans vos histoires.

— Je sais. Si je t'appelle, c'est que je vais à Québec pour votre prochain spectacle et que j'aimerais bien lui faire une autre surprise, plus élaborée cette fois-ci, si tu vois ce que je veux dire… Après, seulement, il saura que c'est moi.

— Janelle, il commence seulement à s'en remettre. C'est pas très gentil de ta part…

— Ça ne regarde que lui et moi, Fred. Donc, ce que j'aimerais que tu fasses est très simple. Pourrais-tu me laisser entrer dans la loge, une fois le spectacle terminé, et faire en sorte que tout le monde s'esquive ? Je sais que Julien attend toujours quelques minutes avant d'y retourner, histoire de décompresser…

Fred réfléchit quelques instants.

— Ça pourrait marcher… Organise-toi pour être là aussitôt que nous aurons terminé. S'il revient tout de suite, ce ne sera pas de ma faute.

— Je te demande seulement d'essayer…

● ● ●

Au moment où il ne s'y attendait plus, Julien reçut une nouvelle lettre. Il ne put s'empêcher d'afficher un sourire idiot, se rappelant, dans les moindres détails, le traitement que sa mystérieuse groupie lui avait réservé.

Cher Julien,

Tu étais difficile à joindre, dernièrement. J'étais presque désespérée de ne jamais te revoir ! Ce qui aurait été vraiment dommage, tu en conviendras.

J'espère avoir répondu à tes attentes, l'autre jour... J'ai essayé de faire bonne impression !

Je ne te dirai pas pourquoi je ne suis pas restée, la dernière fois, ce n'est pas important. Mais je serai à Québec pour votre prochain spectacle. Peut-être y aurons-nous une rencontre aussi, sinon plus plaisante encore que la dernière, qu'en penses-tu ?

En attendant, je t'embrasse,

X

À Québec! Elle serait à Québec... Julien adorait cette ville. En plus de la beauté qui la caractérisait, c'était un endroit chaleureux et vivant où tout pouvait arriver. Et peut-être que, justement, tout y arriverait! Il en trépignait presque d'impatience. Il se força à se calmer en pensant à ce qu'il pouvait advenir de désagréable. Tout d'abord, elle était peut-être, comme il l'appréhendait au début, laide comme un crapaud. Si cela s'avérait vrai, il regretterait d'avoir laissé sa queue téméraire s'aventurer dans cette bouche-là, mais classerait l'épisode dans son dossier «erreurs de parcours». Peut-être était-elle aussi complètement déséquilibrée et le menacerait-elle avec un couteau si elle ne lui plaisait pas, qui sait? Enfin, il pouvait également s'agir d'un mauvais tour, comme seules les femmes en ont le secret, pour lequel il aurait juste été choisi au hasard.

Après cet inventaire de possibilités, il conclut que les risques n'étaient pas si élevés que cela, en bout de ligne. Et si l'inconnue lui faisait subir le même sort que la dernière fois, peu lui importerait le reste, puisque le plaisir compenserait amplement pour la petite humiliation qu'il vivrait par la suite.

• • •

Parvenus à l'hôtel de Québec — en fait, le terme «hôtel» était un peu exagéré, puisqu'il s'agissait plutôt de «chambres-miteuses-aux-matelas-défoncés-comme-toujours» — les musiciens procédèrent à l'habituel tirage au sort pour déterminer lequel aurait la chance suprême d'être seul dans sa chambre. Julien fut l'heureux élu, ce qui lui parut de bon augure. Chaque membre du groupe prit une douche rapide avant de se diriger vers la salle de spectacles.

Autour de vingt-deux heures, l'endroit était bondé. Les chaînes de radio locales avaient étonnamment fait toute une histoire de leur venue à Québec, les traitant comme des vedettes. Mais le spectacle, même s'il se déroulait très bien, n'avait pas la magie du précédent. Comme si les musiciens essayaient d'en faire trop ou avaient la tête ailleurs. La foule ne sembla heureusement pas s'en rendre compte, car ils eurent droit à deux ovations.

Julien était de son côté impatient. D'un côté, il aimait jouer, adorait la tension et l'appréciation des spectateurs. Mais de l'autre, il n'arrêtait pas de penser au déroulement du reste de la soirée. Son inconnue tiendrait-elle sa promesse? Il n'avait aucune raison d'en douter et devait la croire sur parole. Il fit donc de son mieux pour maintenir l'illusion de se donner intégralement à sa musique. Le spectacle terminé, il ne suivit pas les autres tout de suite, préférant demeurer en coulisses. Il se disait qu'en attendant de la sorte, il lui rendrait peut-être la tâche plus facile, si elle avait l'intention de le surprendre et de l'entraîner dans quelque coin sombre. Mais au bout d'environ un quart d'heure, elle n'était toujours pas apparue. Il se décida donc à regagner la loge. Il constata en chemin que la plupart des membres du groupe étaient déjà au bar, armés de bonnes blondes bien froides auxquelles se joindraient, avec un peu de chance, de belles blondes bien chaudes... Il leur adressa un vague signe de la main et poursuivit sa route en poussant un long soupir.

• • •

La loge était fermée à clé. Comme on avait cependant pris soin de remettre une clé à chacun des musiciens, en précisant qu'eux seuls auraient accès à la pièce, il ouvrit la porte, chercha l'interrupteur... et découvrit que ce dernier était recouvert d'adhésif! Il était encore abasourdi quand la porte se referma derrière lui. L'inconnue était là, dans l'obscurité, une main sur son épaule.

— Tu savais que je viendrais, chuchota-t-elle.

— Oui. Enfin, je l'espérais...

— Ah bon! Comme ça, je t'ai plu, la dernière fois?

— Je ne suis qu'un homme, tu sais!

Il devina qu'elle passait devant lui. Elle lui prit la main et la déposa sur son épaule nue. Le musicien frissonna. Se pouvait-il qu'elle soit dévêtue? Elle guida une de ses mains vers ses seins découverts, déposant l'autre au creux de sa hanche. Les mains masculines touchaient une peau satinée, douce comme du velours, dont les proportions semblaient, du moins, selon ses paumes aveugles, parfaites. Dans le dos satiné, il sentit de longs cheveux soyeux, une chose de plus qu'il adorait chez une femme.

L'inconnue s'approcha alors lentement et l'embrassa longuement. Sa langue goûtait la menthe. Retirant la chemise du pantalon du musicien, elle la déboutonna patiemment avant de frotter sa poitrine généreuse contre celle, velue, de celui qui avait déjà de la peine à contenir son excitation.

Elle murmura de nouveau, la bouche tout contre son oreille:

— Tu sauras très vite qui je suis, mais avant, laisse-moi te goûter. J'ai attendu si longtemps, tu sais! Je te promets que tu ne seras pas déçu. J'essaie juste d'être différente pour que tu te souviennes toujours de moi, si je ne devais jamais te revoir.

— Pourquoi? Pourquoi ne se reverrait-on plus? chuchota-t-il.

— Toi seul le sais...

Sur ces paroles, elle s'empara d'un des doigts du jeune homme, qu'elle porta à sa bouche. Elle le lécha tendrement, le suçant langoureusement, puis vint le poser entre ses cuisses.

— Tu vois l'effet que tu me fais?

Il avala péniblement sa salive avant de répondre:

— Les gars vont bientôt revenir, et...

— Mais non, j'ai tout arrangé!

Leurs paroles étaient presque inaudibles, habitées d'un désir urgent. Il sourit dans la pénombre. Il était prêt à tout, et n'avait jamais été aussi excité de toute sa vie. Il se dit qu'il devait coûte que coûte profiter de cette agréable distraction qui ne serait, probablement, qu'éphémère. S'il n'en tenait qu'à lui... Il se fit mentalement une image de la demoiselle et eut soudain un doute. Peut-être n'était-ce qu'une grave erreur, après tout... Mais son corps lui fit sentir qu'il était trop tard pour réfléchir et temps de passer à l'action. Il explora donc davantage les cuisses offertes devant lui et ce qu'elles recelaient de mystère. Largement écartées, elles exposaient chaque millimètre d'un sexe moite à son doigt inquisiteur. Il caressa la jeune femme quelques instants, puis elle l'attira sur le sol, le faisant s'étendre de tout son long sur le tapis.

Une jambe qu'il devinait fuselée s'inséra entre les siennes, exhibant sa verge dans toute sa vulnérabilité. Puis, une cascade de cheveux le chatouilla du visage aux genoux, s'attardant sur son ventre. Une langue de velours glissa soudain sur lui, l'humectant de salive sucrée.

Cette même langue aspira complètement son membre dressé entre ses lèvres, puis jusqu'à sa gorge. Cette femme était vraiment une experte de la masturbation, exerçant juste assez de pression de la main et de succion de la bouche ! C'était délicieux, et jamais sa queue ne s'était sentie aussi vaillante, comme si elle s'était allongée de deux bons centimètres supplémentaires. Se relevant, la jeune déesse continua à cajoler son pénis de sa main glissante, ce qui permit au jeune homme de deviner qu'elle se caressait de sa main libre. Elle n'émettait aucun autre son que celui de sa respiration, de plus en plus rapide. Le musicien, lui, sentait les vibrations, de plus en plus insistantes, de la main féminine sur son corps enflammé, au fur et à mesure que le plaisir montait en elle. Il sentit même venir l'apothéose et vit la silhouette féminine se redresser, s'immobiliser quelques secondes, puis se remettre en mouvement. Elle avait joui en silence, ne lui accordant pas le loisir de participer ni de partager son plaisir. Mais elle avait vite repris ses esprits et s'était remis à le caresser tendrement. Puis, après avoir pris place au-dessus de lui, elle engagea le sexe bien gonflé du musicien en elle, s'empalant de tout son être sur ce trophée à sa merci. Elle demeura un instant immobile, puis se pencha et embrassa doucement sa victime, avant de donner à ses hanches un mouvement régulier et langoureux.

Le musicien, quant à lui, n'avait aucun contrôle sur la situation. Non qu'il ait eu l'intention d'y changer quoi que ce soit, évidemment, car il était choyé. Quelqu'un d'autre que lui avait en effet pris le volant, et il n'aurait jamais pensé que cela pouvait être aussi agréable. Sa compagne flottait au-dessus de lui, légère, souple. Elle se souleva sur ses talons, n'imposant sur le corps de son amant qu'un poids minime, sans cesser de monter et de descendre. Un peu plus haut. Un peu plus bas. Tout doucement…

Le jeune homme se sentit progressivement tiré vers l'arrière, alors que son amante se renversait sur lui. Glissant toujours, mais avec plus d'insistance, elle le violait, le contrôlait. Son sexe s'écrasait sur le membre bien dressé de son partenaire, lui arrachant chaque fois de petits gémissements. Il voulut se relever, lui montrer de quoi il était capable, mais elle le devina. En le saisissant par les bras, elle l'emmena près de la porte et lui attacha les mains derrière le dos avec un foulard qu'elle avait ramassé quelque part. Mais comment avait-elle pu trouver quoi que ce soit dans cette noirceur? Il n'en avait aucune idée et s'en foutait complètement.

Attaché à la poignée de la porte, la queue pointant vers l'avant, la victime n'eut d'autre choix que de laisser son assaillante abuser de lui. À quatre pattes devant lui et les cuisses serrées, Janelle le força à entrer en elle, puis lui imposa à nouveau son rythme, de plus en plus rapide. Son sexe constituait un étau de velours humide et chaud, enserrant et broyant sa verge sans merci. Les fesses de la tortionnaire claquaient contre le ventre du musicien, ses longs cheveux retombant sur son visage en sueur. Il fit de son mieux pour imposer ses propres poussées, s'accordant aux mouvements de la femme en insistant un peu. Il se sentait prêt à se laisser aller, voulait poursuivre cette douce torture, mais sa partenaire en décida autrement. Après avoir pris appui sur ses coudes et écarté les jambes, elle se rua frénétiquement sur lui, le prenant d'assaut et l'étreignant tendrement, jusqu'à ce qu'il fût incapable de résister davantage et se répande en elle en de multiples sursauts de jouissance.

Elle s'empressa alors de défaire les liens de son amant et l'entraîna de nouveau sur le sol, où elle se blottit entre ses bras. Il aurait eu envie de dire quelque chose, même si sa gorge sèche lui interdisait momentanément toute parole. Il était complètement subjugué, assommé, désarticulé, et un vague sentiment de culpabilité s'empara de lui.

Son cœur recommençait à peine à battre normalement, quand ils entendirent une clé glisser dans la serrure. Il s'écria :

— Une minute ! Juste une minute, les gars !

Le couple se leva d'un bond. Une recherche frénétique à l'aveugle s'ensuivit pour retrouver les vêtements qui gisaient par terre.

— Allez, laisse-moi entrer, je voudrais bien me changer !

Cette voix... Janelle eut un haut-le-cœur. Était-il possible que...

— Allez, Fred, ça suffit ! J'entre...

Janelle crut recevoir un coup de massue. Fred ? Impossible... Était-ce bien la voix de Julien qu'elle entendait de l'autre côté de la porte ? Et ce fut ainsi que Julien fit son entrée, laissant filtrer juste assez de lumière pour que Janelle puisse enfin le reconnaître.

Le secret
de Brigitte

Brigitte regarda son compagnon de voyage d'un œil mi-sceptique, mi-étonné.

— Tu es vraiment sérieux, n'est-ce pas?

— Tout à fait.

— Tu me laisses y penser?

— Pas trop longtemps...

Elle réfléchit, tentant de s'imaginer le scénario. «Hum... ça serait toujours possible», conclut-elle, avant d'acquiescer d'un petit signe de la tête.

Elle repensa à la semaine qu'ils venaient de passer ensemble. Brigitte s'était rendue au Mexique pour des raisons professionnelles. Comme elle était libre toute la journée et n'avait à se rendre à son travail qu'autour de vingt-deux heures, elle passait ses journées sous le soleil resplendissant, laissant sa peau en boire les chauds rayons.

L'homme s'était manifesté le troisième jour de son séjour. Au début, elle avait cru qu'il souffrait réellement. Elle avait vu sur la plage un coureur solitaire, le corps plié en deux, qui avait les mains appuyées sur les genoux et les yeux fermés, tentant visiblement de calmer la douleur qu'il ressentait. Peut-être était-il victime d'une crampe ou d'un quelconque malaise? Elle s'était donc approchée rapidement de lui pour lui venir en aide:

— Hé! Ça va? avait-elle demandé en français, n'osant pas se ridiculiser dans un espagnol incompréhensible.

Il l'avait alors regardée droit dans les yeux en arborant un sourire éclatant, avant de déclarer:

— Et vous parlez français, en plus!

Perplexe, elle prit quelques secondes pour se rendre compte de la supercherie. Feignant l'agacement, elle s'exclama:

— Ce n'est pas drôle! Moi qui croyais que vous étiez mal en point!

— Pas le moins du monde, mais vous devez bien convenir que c'est une approche originale!

Le sourire innocent de l'inconnu était irrésistible. Semblable à celui d'un petit garçon pris en faute, mais qui sait que son méfait n'est pas bien grave et qu'on le lui pardonnera sans le punir. Et, effectivement, Brigitte ne lui en tint pas rancune. Il faut dire qu'il était bel homme... Grand et musclé, sans toutefois paraître gonflé, il exhibait un bronzage superbe qu'accentuait la mince couche de sueur faisant luire sa peau. Ses cheveux étaient d'un noir de jais, et comme tout vacancier ou séducteur averti qui se respecte, il ne s'était pas rasé depuis au moins deux jours, laissant traîner un ombrage accentué sur son visage aux traits magnifiquement sculptés. Des yeux de la même couleur que l'océan alentour complétaient ce portrait flatteur. L'homme exsudait une sensualité palpable.

— Vous ne vous sauverez pas, si je vais me baigner un instant? demanda-t-il.

Elle répondit d'un hochement de la tête et l'homme, après avoir retiré sa camisole, se précipita dans les chaudes vagues de l'Océan pacifique. Après quelques brasses énergiques et autant de plongeons dans l'écume, il ressortit enfin. Brigitte était retournée sur sa chaise longue.

— Vous êtes arrivée avant-hier, dit-il tout de go, encore ruisselant d'eau.

— Ça ne ressemble pas à une question.

— Non, je vous ai vue arriver. Nous sommes descendus au même hôtel. Vous allez rester longtemps?

— Seulement une semaine. Mais je ne suis pas vraiment en vacances, je suis ici pour mon travail.

— Un bon travail, alors!

— Le meilleur!

— Et qu'est-ce que vous faites?

Elle s'était attendue à cette question, qui finissait toujours par faire partie du cours normal de la conversation. Mais elle n'avait nullement l'intention de révéler à cet adonis la nature de son gagne-pain! Il se confondrait en effet sans doute en excuses, avant de s'éloigner rapidement. Les hommes le faisaient tous, du moins ceux qui semblaient les plus intéressants. Aussi, répondit-elle:

— Je suis mannequin pour un couturier de Montréal. Je fais des défilés pour certains clients. Ce n'est pas aussi excitant ou prestigieux que de faire de la photo, mais c'est agréable, même si je travaille surtout en soirée. Et ça me permet de voyager.

Ce n'était pas si loin de la vérité. Elle faisait effectivement des défilés, mais ce n'était pas du tout pour un couturier, bien au contraire! En fait, Brigitte était une effeuilleuse, et elle adorait son métier. Malheureusement, et c'était là son seul regret, certaines de ses collègues donnaient à sa profession une image plutôt vulgaire. Il est vrai que la plupart d'entre elles ne le faisaient pas dans les mêmes conditions ni pour les mêmes raisons que Brigitte. Elle, elle dansait par passion. Pour des raisons aussi pratiques, bien sûr, parce que c'était un travail extrêmement bien rémunéré, que les horaires de travail étaient souples et qu'elle pouvait beaucoup voyager. Mais avant toute chose, la jeune femme satisfaisait en dansant un besoin primordial: celui de dévoiler ses charmes à un public d'admirateurs.

La première fois qu'elle avait dansé, elle était étudiante. Elle s'était laissé entraîner dans un pari stupide. Certains de ses camarades s'étaient effectivement rendus dans un bar de danseuses et les avaient mises au défi, trois de ses amies et elle, de monter sur scène et de retirer leurs vêtements. La somme du pari avait augmenté au même rythme que le désir des garçons de voir leurs consœurs se déshabiller devant eux. Quelques minutes plus tard, l'enjeu était devenu fort intéressant pour une étudiante sans revenus. Mais Brigitte s'était vite rendu compte que même sans l'appât du gain, elle aurait sans doute tout fait pour monter sur cette petite scène devant ses amis. Quelque chose d'indéfinissable l'attirait, même si elle n'y avait jamais pensé avant. C'était comme si elle était attirée par un aimant. Ses compagnes s'étant finalement désistées, il n'était plus resté qu'elle pour relever le défi. Après avoir fini son verre d'un trait, elle était montée sur scène d'un air décidé, sous les regards amusés de ses compagnons. Ceux-ci étaient persuadés qu'elle ne ferait sur place qu'un petit tour rapide, retirerait en partie ses vêtements puis disparaîtrait, une fois la blague terminée. Aussi, quelle n'avait pas été leur surprise quand elle s'était installée, immobile, au milieu de la scène, les jambes bien plantées sur le sol! À la première mesure de la chanson qu'elle avait choisie, elle avait retiré ses chaussures; à la seconde, sa chemise. Puis, elle avait passé le reste du morceau à enlever un par un ses vêtements, jusqu'à ce qu'elle soit complètement nue.

Elle avait alors compris qu'elle était dans son élément. Elle avait tout de suite remarqué les regards s'attarder sur son corps et en avait éprouvé un plaisir puissant, comme si ces yeux étaient des mains en train de la caresser. Elle pouvait sentir chaque parcelle de sa peau exposée vibrer sous la force de ces regards. Elle aurait presque juré avoir été réellement touchée.

Ce premier soir, en l'espace de quelques minutes, elle était devenue aussi excitée que si ses quatre compagnons lui avaient fait l'amour l'un après l'autre.

Malheureusement, les filles ne lui avaient plus adressé la

parole après cette aventure. Les garçons, de leur côté, avaient tous tenté de sortir avec elle, dans l'espoir de récolter un spectacle gratuit et exclusif. Mais elle s'était bien juré que jamais elle ne permettrait à l'un de ses spectateurs de la toucher après l'avoir vue danser. Cela aurait détruit l'illusion de rêve dans laquelle elle était plongée durant sa performance. Elle adorait provoquer cette sensation de désir tangible chez les hommes et, parfois, chez les femmes. Tous ces regards braqués sur elle la faisaient frémir de plaisir, et elle se donnait en retour corps et âme pour les combler. Elle se savait belle; elle savait qu'on la désirait, que rares étaient les hommes qui n'auraient pas tout donné pour lui faire l'amour. Mais c'était un ultime plaisir qu'elle refusait par principe. Jamais elle n'avait passé une nuit avec un client. Il fallait, pour qu'elle puisse continuer à jouir de son travail, qu'elle demeure totalement inaccessible pour ses spectateurs. Qu'elle ne soit qu'un fantasme, un mirage. Elle pouvait ainsi se glisser dans la peau de n'importe qui, qu'il s'agisse d'une reine ou d'une vedette de cinéma. «Regardez, mais vous ne pourrez jamais toucher!», faisait-elle comprendre à son public en ondulant devant eux.

Bref, elle était très heureuse de son métier. Celui-ci lui avait pourtant attiré des ennuis. Certaines personnes, découvrant ce qu'elle faisait, se détachaient d'elle aussitôt, ne percevant pas ce travail comme valorisant ou convenable. Et assurément, les femmes et les petites amies des hommes qui assistaient à ses performances d'effeuillage la détestaient aveuglément. Mais comme elle n'avait jamais été confrontée à l'une d'elles, cela ne la perturbait pas beaucoup. Toutefois, afin de préserver son anonymat, elle travaillait toujours à une certaine distance de chez elle, refusant obstinément les contrats près de son domicile. Comme elle avait finalement réussi à séparer son travail de sa vie sociale, elle tenait en effet à préserver cette frontière.

Donc, la réplique de «mannequin pour un couturier de Montréal» passait, en général, assez bien. Cette fois-ci encore, d'ailleurs, l'homme n'insista pas.

— Et vous, vous êtes en vacances? demanda-t-elle.

— Oui... Il me reste une semaine de séjour avant de retourner à Montréal. C'est là que vous habitez?

— Oui. Enfin, en banlieue.

— Il me semble vous avoir déjà vue quelque part...

— Vous savez, Montréal est une bien grande ville...

Ils restèrent silencieux quelques instants. Puis, comme s'il se souvenait de quelque chose d'important, l'homme se leva et, d'une mine presque solennelle, dit:

— Je m'excuse de ne pas l'avoir fait auparavant. Je m'appelle Vincent. Je suis un célibataire de trente-quatre ans et je meurs d'envie de t'inviter à dîner. À quelle heure dois-tu partir travailler?

— Pas avant vingt-et-une heures. Si tu acceptes de dîner tôt, je serai ravie de t'accompagner. Et moi, c'est Brigitte, en passant.

— Pas de problème. On se retrouve dans le hall de l'hôtel vers dix-sept heures?

Le tutoiement était venu tout naturellement, sans que l'un ou l'autre s'en soient rendu compte. À l'évidence, ils se plaisaient. Son invitation en poche, Vincent, visiblement heureux, adressa encore une fois à Brigitte son merveilleux sourire.

— Bon, je vais continuer à courir... sans m'arrêter, cette fois-ci. À plus tard!

Elle le regarda partir, un étrange sentiment au creux de l'estomac. Cet homme lui plaisait vraiment beaucoup.

• • •

Brigitte partit rejoindre Vincent à l'heure prévue. Elle avait revêtu sa plus belle robe, de couleur blanche pour faire ressortir son teint déjà doré, et avait pris un soin méticuleux à se coiffer et à se maquiller. Elle était mannequin, après tout, alors autant le paraître! Vincent parut apprécier ses efforts. Il se leva du fauteuil en l'apercevant, un sifflement admiratif aux lèvres. Lui aussi, d'ailleurs, avait dû se donner un peu de peine. Ou était-ce son charme naturel? Brigitte ne le savait pas, mais elle avait beaucoup de plaisir à regarder son bel inconnu rasé de près et qui dégageait une odeur enivrante, quoique discrète. Il ne lui demanda pas où elle désirait aller, se contentant de la guider jusqu'à sa voiture de location, une décapotable sportive garée devant la porte de l'hôtel.

— C'est pour mieux draguer, lança-t-il en lui faisant un petit clin d'œil complice.

— Eh bien, j'imagine que je ne suis pas la première femme à monter dans cette voiture depuis que tu es ici!

— Non, mais certainement la plus belle!

Il lui ouvrit la portière et la referma une fois que son invitée fut bien assise. Après avoir pris place derrière le volant, il lui demanda si elle appréciait les fruits de mer. Devant le signe évident d'approbation de Brigitte, il démarra.

Le trajet se fit dans la bonne humeur, agrémenté d'un bavardage léger et fluide. Les deux touristes arrivèrent devant un petit restaurant qui ne payait pas de mine. Mais Brigitte reconnut, à son enseigne, un de ceux dont on parlait dans les brochures et qui avait acquis une excellente réputation.

Ils prirent place à une petite table, sur la terrasse presque déserte. Comme Vincent paraissait connaître l'endroit, Brigitte lui laissa le soin de commander ce que bon lui semblait. Il s'exprimait dans un espagnol presque impeccable, et ce qu'il choisit paraissait suffisant pour nourrir une armée.

La conversation était animée et joyeuse. Brigitte ne pouvait s'empêcher d'admirer le jeune homme devant elle. Il était vraiment magnifique. Mais en plus — ce qui ne gâchait rien —, il était drôle, intelligent et pouvait discuter d'à peu près n'importe quel sujet. Elle avait appris qu'il possédait sa propre agence de relations publiques, qu'il venait en vacances au même endroit depuis quatre ans et qu'il n'avait jamais été marié ou significativement impliqué dans une relation. Il attendait en fait la femme idéale...

La soirée se déroula extrêmement bien, mais aussi beaucoup trop rapidement. Pour la première fois depuis très longtemps, Brigitte n'avait pas envie d'aller travailler. Du moins, en aurait-elle retardé l'échéance. Elle voulait passer le reste de la soirée — et, qui sait, peut-être aussi la nuit — en compagnie de cet homme qu'elle avait l'impression de connaître depuis de nombreuses années, en dépit de leur récente rencontre. Toutefois, en s'imaginant les regards fiévreux glisser sur son corps dénudé dans peu de temps, elle eut un petit frisson d'anticipation et de plaisir. Après avoir porté un regard discret sur sa montre, elle s'aperçut qu'elle devrait bientôt quitter son chevalier servant. Et pas question qu'il la dépose quelque part! Un aveu aurait pu tout gâcher...

Vincent, de son côté, savait bien que Brigitte devait partir, mais il aurait ô combien désiré que cette soirée soit éternelle! Peut-être pourrait-il la voir plus tard?

— À quelle heure termines-tu ta soirée? demanda-t-il doucement.

— Oh! Vers les deux heures du matin. Mon patron a loué une salle de réception, et la soirée finira sans doute très tard.

— C'est dommage, je serais allé te chercher pour un dernier verre.

— Je ne serai sûrement pas de retour à l'hôtel avant les trois heures... Je suis désolée, j'aurais bien aimé ne pas devoir partir. La soirée a été magnifique!

— Je suis tout à fait d'accord. C'est la plus belle que j'aie passée depuis trop longtemps. Eh bien, il faudra donc recommencer demain soir, alors?

— Ou même avant, si tu en as envie! Je me lève assez tôt.

— Parfait! Je déjeunerai donc sur la terrasse de l'hôtel vers dix heures, demain matin. Tu y seras?

— Absolument!

Ils quittèrent la table à contrecœur et se dirigèrent vers la sortie. En lui prenant délicatement le bras, il la guida vers la voiture.

— Écoute, je vais prendre un taxi, dit-elle.

— Pas question!

— Non, je t'assure. Je dois me rendre à l'autre bout de la ville, c'est un voyage inutile. J'insiste.

— Bon... pour cette fois-ci, ça ira.

Sur ces mots, il l'attira dans ses bras et, sans qu'elle pût l'en empêcher — elle n'en avait d'ailleurs pas la moindre envie —, il l'embrassa avec une telle fougue qu'elle se sentit ramollir d'un seul coup. Il y avait dans ce baiser tant de promesses! Ce corps ferme et viril la rendait folle, et son odeur l'étourdissait. Elle se dégagea doucement et chuchota à l'oreille de Vincent:

— Je penserai à toi toute la soirée...

— Et moi, toute la nuit... Écoute, je ne me suis pas senti comme ça depuis longtemps. Je suis déjà fou de toi!

Il déposa de nouveau ses tendres lèvres sur celles de la jeune femme. Après une étreinte qui leur sembla durer une éternité et qui provoqua chez chacun d'eux un désir incandescent, ils réussirent tant bien que mal à se séparer. Vincent s'engouffra dans le restaurant et fit appeler un taxi pour son invitée. Il retourna ensuite près d'elle, lui prit la main. Ils attendirent en silence. Quand un vieux taxi s'arrêta près d'eux, il l'y fit monter, lui donna un dernier baiser brûlant et la regarda s'éloigner, déçu. Tout au long du trajet, Brigitte ne put s'empêcher de se demander si cet homme l'accepterait telle qu'elle était. Lui qui semblait si sensible aux belles choses et aux bonnes manières, à la douceur et à la délicatesse d'une femme, serait sans doute horrifié de connaître sa destination pour le reste de la soirée...

• • •

Elle arriva à son lieu de travail avec seulement quelques minutes d'avance. Elle courut se préparer pour son premier numéro. Elle n'arrivait pas à se débarrasser de l'image obsédante de Vincent, de la douceur de ses lèvres, de l'ardeur de ses baisers. Comme sur un nuage, elle monta sur la petite scène et commença sa première danse. Le bar était bondé. Il s'y trouvait très peu de Mexicains, surtout des hommes d'affaires et des touristes américains. C'était un endroit assez chic, où la clientèle avait plutôt bon ton. On lui avait affirmé que les esclandres et les gestes déplacés étaient rares, ici. Aussi, Brigitte se sentait-elle en toute confiance. Elle s'avança sur scène, vêtue d'un soutien-gorge orné de paillettes et d'un cache-sexe assorti, perchée sur des talons aiguilles. Son corps gracieux se mit à se mouvoir au rythme de la musique. Graduellement, elle devint la déesse qu'elle incarnait chaque fois, pour le plus grand plaisir de son public.

Ses gestes devinrent de plus en plus langoureux, son corps s'appliquant à se faire admirer, désirer. L'auditoire se fit complaisant; chaque homme la contemplant avec une certaine lueur dans le regard. Elle, elle ne demandait qu'à être possédée, dévorée. Ses longues jambes s'écartaient, s'étiraient à n'en plus finir, dévoilant la blondeur de sa toison presque rase. Elle retira enfin son soutien-gorge, laissant sa longue chevelure caresser son dos et ses seins, les chatouillant délicieusement.

Elle n'avait toutefois que Vincent en tête. Elle l'aurait voulu à ses côtés, l'admirant fiévreusement. Pour tous ceux qui se trouvaient devant elle, elle ne serait jamais qu'un rêve. Vincent les éclipsait tous. Elle imaginait les mains de ce dernier parcourant son corps, massant ses seins généreux, écartant ses cuisses entre lesquelles son sexe bouillant l'espérait tant.

À la fin de son numéro, Brigitte quitta la scène promptement, comme au sortir d'un rêve. Puis, elle se réfugia dans les toilettes. À peine après avoir repris haleine, elle ne put s'empêcher de s'imaginer Vincent. Sa danse l'avait tellement excitée, tous les regards alentours galvanisant son désir, qu'elle n'eut qu'à tendre sa main droite entre ses jambes et à frotter son sexe humide quelques secondes avant de jouir dans un soupir.

• • •

Le lendemain matin, elle se rendit sur la terrasse à l'heure convenue. Vincent l'attendait déjà sur place, un verre de jus d'orange posé devant lui. Il se leva à son arrivée, le visage illuminé par son incomparable sourire. Brigitte n'avait de son côté pas aussi bonne mine. Elle avait eu beaucoup de peine à s'endormir, rêvassant au corps de Vincent tout près d'elle dans son lit, puis sur elle, puis en elle… Elle avait presque battu un record de masturbation avant de s'arrêter, plus frustrée que jamais. Mais en le voyant là, resplendissant sous le soleil du matin, elle retrouva instantanément sa bonne humeur. Craignant que la façon dont ils s'étaient quittés la veille ne cause une certaine gêne, et désirant surtout réaffirmer ses intentions, Vincent ne lui laissa pas le temps de s'asseoir. Il la prit dans ses bras et l'embrassa avec autant de conviction que la veille. Elle se retint difficilement de lui proposer de déjeuner dans sa chambre, s'accrochant aux marques de profond respect qu'il lui avait témoignées et qui semblaient lui interdire de précipiter les choses.

Ils mangèrent presque en silence, leur sourire en disant long sur leur état d'âme. Après un copieux repas, ils se dirigèrent, d'un commun accord, vers la plage invitante. Vincent savait tout faire; il l'initierait aux joies de la plongée sous-marine, de la voile et du parachute. Il avait des aptitudes naturelles pour tout ce

qui était physique. Brigitte était presque impatiente d'en vérifier l'étendue. Mais Vincent ne semblait pas pressé. Elle lui aurait
proposé depuis longtemps une petite sieste, mais s'était retenue.
S'il souhaitait la faire languir, elle pourrait en faire autant, après
tout.

Ils se baignèrent, s'éclaboussèrent et s'amusèrent comme
des enfants. Vers quinze heures, exténués, ils eurent envie de
faire une petite sieste, mais elle ne fut pas du genre de celle
que Brigitte avait espérée. Ils convinrent effectivement de se
retrouver de nouveau vers dix-sept heures pour l'apéro, puis
pour dîner quelque part. Il était définitivement plus difficile à
corrompre que les autres hommes auxquels Brigitte était habituée. « Comme c'est rafraîchissant ! », se dit-elle, tout émoustillée.

• • •

L'alcool lui montait à la tête. Brigitte avait l'impression de friser
l'obsession. Quand Vincent lui parlait, elle examinait sa mâchoire
et ses dents, et quand il bougeait, elle admirait le jeu de ses muscles
sous sa peau bronzée. Il semblait faire la même chose, toutefois.
Ils agissaient comme s'ils avaient été seuls au monde. Ils dînèrent
de hamburgers et de frites, copieusement arrosés de plusieurs
margaritas. Quand Brigitte dut partir, elle était presque ivre, tout
comme Vincent. C'est d'ailleurs pour cette raison qu'elle n'eut pas
trop de peine à le convaincre de la laisser prendre à nouveau un
taxi. La randonnée dans le véhicule bringuebalant ne parvint
pas tout à fait à la dessaouler. Mais comme l'effet n'était, somme
toute, pas déplaisant, elle commanda un autre verre en arrivant
au bar où elle dansait et partit se préparer.

Elle monta donc sur scène un peu éméchée, mais son état
n'était pas entièrement attribuable à l'alcool. Elle se sentait en
fait si bien que son corps dansait de lui-même, sans qu'elle ait à
lui dicter quoi que ce soit. Tout ce qu'elle voulait, en vérité, c'était

Vincent. Il faudrait bien qu'elle lui parle de son travail, même si elle était de plus en plus certaine que jamais il n'accepterait que la femme de sa vie ait une telle occupation. Quelque chose dans son regard — l'air de quelqu'un habitué à contrôler les situations et à ne pas s'en laisser imposer, peut-être — lui indiquait qu'il était possible que, cette fois-ci, elle doive choisir entre cet homme et son métier. Mais elle chassa bien vite cette idée de sa tête, se contentant de savourer le moment présent. Ce soir-là, plusieurs hommes la firent danser à leur table, payant grassement cette faveur. Elle dansa même pour un couple d'amoureux, qui semblèrent se délecter du spectacle. Elle appréciait ces danses privées, qui lui permettaient de s'approcher dangereusement près de la limite qu'elle s'était fixée. Elle pouvait ainsi regarder ces gens dans les yeux, deviner leurs secrets et leurs fantasmes, même si c'était bien sûr à sens unique. Elle conservait en tout temps un visage de marbre, le sourire aux lèvres; en un mot, l'image même d'une déesse inaccessible. Quand elle dansait pour un homme seul ou à la table d'un groupe, elle pensait à Vincent. Combien aurait-elle aimé lui montrer cette facette d'elle-même! Mais c'était impossible. À moins qu'il ne la déçoive irrémédiablement au cours des prochains jours, elle était déjà follement amoureuse de lui et appréhendait le moment de vérité qui l'attendait. Elle était convaincue qu'il ne comprendrait pas qu'elle avait ce travail tout en menant une vie simple et saine, sans la moindre trace des différents vices accolés à ce métier. Et il était tellement difficile d'expliquer cela à quelqu'un de l'extérieur! Mais cet homme semblait présenter tant de promesses... Plus elle le connaissait, plus elle lui trouvait de points communs avec le prince charmant qu'elle cherchait depuis toujours. Se pouvait-il qu'elle ait enfin trouvé quelqu'un pour qui elle renoncerait à son métier? À ce plaisir qui avait pris tant d'importance dans sa vie? Elle verrait bien où les choses la mèneraient.

• • •

Quand elle rentra, ce soir-là, Vincent l'attendait. Le bar de l'hôtel étant fermé pour la nuit, il était assis sur un des fauteuils meublant le hall et semblait s'être assoupi. Mais quand il la vit franchir la grande porte d'entrée, il se leva d'un bond, parcourut la distance qui les séparait en deux enjambées et la prit dans ses bras.

— Je... il fallait absolument que je te voie.

Ne lui laissant pas le temps de répondre, il écrasa presque douloureusement sa bouche contre celle de Brigitte. Puis, en la tirant par la main, il l'entraîna vers l'ascenseur. Le regard porté droit devant lui en attendant que la cabine arrive à leur niveau, il avait l'air de faire de grands efforts pour se concentrer. Quand les portes s'ouvrirent enfin avec un petit bruit de glissement pneumatique, il saisit de nouveau Brigitte et la poussa doucement dans la cabine. Elle arrêta sa course dos au mur de l'élévateur. Vincent se serra aussitôt contre elle et, en prenant son visage et ses cheveux entre ses mains, il l'embrassa avec ardeur. Pressant son corps tourmenté contre le sien, il lui fit sentir sans équivoque à quel point il la désirait. Ses mains caressèrent enfin le corps de Brigitte, découvrant ses courbes avec délice.

Les portes se rouvrirent au quatrième étage. Sans un mot, il l'emmena rapidement jusqu'à sa chambre, dont il ouvrit la porte frénétiquement. En un instant, ils se retrouvèrent tous deux nus, haletants, muets de désir. Pour ne pas gaspiller de secondes supplémentaires pour se rendre jusqu'au lit, ils s'étendirent sur l'épaisse moquette, et Vincent pénétra immédiatement sa conquête, sans prévenir. Immobilisée sous lui, Brigitte avait de la peine à respirer, mais son désir était si intense que cela n'avait aucune importance. Elle l'entoura de ses longues jambes, le forçant à entrer en elle avec plus de vigueur, l'aspirant au plus profond de son corps. Puis, elle le fit rouler sur lui-même, pour se retrouver au-dessus de lui, afin de lui imposer à la fois son désir, sa bouche insatiable et son sexe conquérant, qui serra sa proie phallique de plus en plus étroitement.

Les deux amants s'embrassèrent comme s'ils avaient attendu des années pour accomplir ce simple geste, joignant leur langue et leur salive, chacun explorant la bouche de l'autre dans un assaut presque désespéré. Vincent pénétrait sa maîtresse avec force, sans répit, aidé par les hanches de Brigitte qui se plaquaient contre les siennes pour donner à ses mouvements encore plus d'ampleur et de profondeur. Le souffle court, ils sentirent la jouissance imminente et se séparèrent un instant, avant de replonger l'un dans l'autre, à la conquête de leurs corps plus que consentants. Ne pouvant retarder leur plaisir une fois de plus, ils jouirent presque en même temps, Vincent inondant sa compagne en silence.

Ils restèrent ainsi jusqu'au moment où, presque endormis, ils se relevèrent péniblement, se rendirent jusqu'au lit et s'y laissèrent tomber avec bonheur, avant de s'assoupir.

Quelques heures plus tard, Brigitte fut réveillée par une délicieuse sensation. Ce qu'elle devina être une langue dessinait des figures abstraites sur son dos, descendait au creux de ses reins, chatouillait tendrement ses fesses. Vincent lui massa la tête, emmêlant entre ses doigts la soie de ses cheveux. Doucement, il retourna sa maîtresse sur le dos, afin de pouvoir lécher l'avant de son corps. De ses oreilles, il glissa le long de son cou, puis s'attarda à chacun de ses seins avant d'atteindre son ventre. Il lui embrassa de baisers légers, presque furtifs, les cuisses, les genoux, les chevilles, les pieds. Brigitte gisait, immobile, profitant pleinement de ces admirables caresses. Quand Vincent lui écarta enfin les jambes et insinua sa langue en elle, le corps de la jeune femme sursauta faiblement avant de céder au plaisir.

Vincent faisait à présent montre d'une patience à l'opposé de leurs premiers ébats. Il mordilla Brigitte avec douceur, heureux de l'entendre soupirer. D'un geste tendre, il écarta délicatement les lèvres gonflées de son sexe, pour pouvoir accéder plus facilement à l'endroit le plus vulnérable de son corps. Il y darda ensuite une langue pointue, agaçant la chair déjà sensible de Brigitte. Elle, elle nageait en pleine jouissance, le corps et l'esprit éthérés. Des milliers de petites étincelles semblaient l'animer, la faire vibrer. Des doigts remplacèrent bientôt la langue de l'homme, s'insinuant profondément en elle, la faisant haleter de plaisir. Puis, la langue adroite reprit ses caresses tandis que la main, toujours plus profondément en elle, la meurtrissait toujours délicieusement. Une main qui put très vite sentir le sexe de Brigitte palpiter d'un plaisir violent. Vincent se décida alors enfin à glisser sur elle, puis en elle, s'enfonçant aisément dans le sexe humide de sa compagne, prolongeant la caresse d'un frottement précis entre les lèvres ouvertes de la jeune femme, ce qui lui arracha de nouveaux gémissements. Brigitte se sentit fondre comme neige au soleil. Son amant l'emplissait. Il s'insinuait lentement et profondément, laissant son membre se rendre de lui-même jusqu'aux tréfonds de son corps. Comme si cet organe, si dur et si gonflé, faisait partie intégrante d'elle-même.

Leur souffle s'accéléra peu à peu, chacun s'adaptant aisément à la cadence de l'autre dans une danse lascive. En s'appuyant contre la tête du lit, Vincent fit asseoir Brigitte sur lui, ramenant les seins de sa partenaire jusqu'à ses lèvres ouvertes. Cette dernière flotta sur lui, n'obéissant qu'aux bras de l'homme sous ses hanches qui dictait la cadence grâce à son membre. Les yeux plongés dans ceux de Brigitte, Vincent permit à sa main de retourner fouiller l'entrecuisse de sa compagne, de saisir ce sexe qui ne demandait qu'à jouir de nouveau. À son simple toucher, Brigitte explosa et, quand Vincent retint son souffle juste avant de jouir, elle fut plus persuadée que jamais d'être follement amoureuse. Elle ne voulait plus le quitter. Jamais.

• • •

Ils passèrent le reste de la semaine ainsi, lovés l'un contre l'autre. Ils firent l'amour du matin au soir, ne s'interrompant, à l'occasion, que pour profiter du soleil ou d'une baignade rapide dans l'océan tiède. Le soir venu, ils marchaient sur la grève, cherchant l'endroit propice pour donner libre cours à leur désir.

Le dernier soir, Vincent emmena Brigitte au sommet d'une falaise surplombant la baie. L'air était doux et fragrant, l'herbe soyeuse. Ils voulaient tous deux conserver de cette dernière soirée au Mexique un souvenir indélébile. Ils se dévêtirent donc lentement, exposant leur peau nue aux rayons de la lune et à la brise délicieuse. À genoux l'un devant l'autre, les gestes empreints de tendresse comme pour une prière, ils se firent jouir mutuellement, silencieusement. Puis, étendus sous la voûte parsemée d'étoiles, ils firent l'amour une dernière fois en terre mexicaine. Ils s'endormirent ainsi, enlacés et repus, ne rouvrant l'œil qu'au lever du soleil.

• • •

Vincent avait fait modifier son billet d'avion, car il voulait absolument rentrer par le même vol que Brigitte. Une fois le changement effectué, il était passé par la chambre de sa compagne et avait frappé discrètement à sa porte.

— Dis, on peut parler ?

— Bien sûr ! Tout ce que tu veux !

Brigitte devint cajoleuse, tentant de l'attirer vers le lit.

— Non, écoute. C'est sérieux.

Elle crut voir un nuage se profiler à l'horizon et ressentit immédiatement de la crainte. Elle prit cependant place sans rien dire sur un des fauteuils, puis ne bougea plus, attentive.

— Brigitte, la semaine que je viens de passer avec toi a été extraordinaire.

— ... mais ?

— Mais ? Il n'y a pas de mais, voyons ! Je voulais juste te demander si, une fois de retour à Montréal, nous pourrions continuer à nous voir. Je veux dire, juste nous deux, seuls. Je serais incapable de supporter qu'un autre homme te touche ou te regarde... Alors, si tu as quelqu'un d'autre dans ta vie ou si tu n'es pas prête à m'accorder cela, dis-le-moi, je t'en supplie.

Sans hésitation, Brigitte se leva et se faufila entre les bras de son amoureux. Mais l'angoisse la tenaillait malgré tout. Elle avait cru qu'il désirait lui parler d'une autre femme à Montréal dont elle aurait dû accepter l'existence. Non sans verser quelques larmes, c'était certain, mais elle aurait fini par s'y faire. Parce que là, au moins, cela aurait été lui, le salaud, dans cette histoire. Il lui fallait toutefois se rendre à l'évidence. Cet homme lui plaisait terriblement et, tôt ou tard, elle devrait lui avouer la vraie nature de son métier. Mais comment expliquer à l'homme qu'on aime que l'on danse devant des gens strictement pour le plaisir ? Elle ne se droguait pas et n'avait pas de problèmes financiers, contrairement aux clichés répandus au sujet des danseuses. C'était l'inverse, en fait ! Elle dansait plutôt pour son propre plaisir, pour le sentiment de puissance et de confiance qu'elle y puisait. Néanmoins, comment avouer à l'homme de sa vie qu'on a besoin de se savoir dévorée du regard, de sentir le désir des autres pour avoir soi-même du plaisir ? Elle choisit de remettre cette révélation à plus tard. D'ailleurs, au cours de cette semaine où elle avait appris à le connaître, elle avait compris que jamais il n'accepterait qu'elle poursuive son métier comme elle l'avait fait jusqu'à maintenant. Cette façon qu'il avait de se montrer presque possessif... Elle trouverait bien le bon moment pour tout lui avouer, ou encore une solution.

• • •

Ils quittèrent enfin l'hôtel pour se rendre à l'aéroport. Après les formalités d'usage, ils se retrouvèrent confortablement calés dans leurs sièges. Le décollage s'était effectué en douceur, et comme il s'agissait d'un vol direct, ils auraient amplement le temps de regarder un film, de lire ou même de dormir un peu. Mais dès que l'appareil eut atteint son altitude de croisière, Vincent débuta ses avances.

— J'ai tellement envie de toi…

— Moi aussi. Si tu veux, en arrivant à Montréal, tu n'auras qu'à venir directement chez moi. J'ai quelques jours de congé, de toute façon…

— Mais j'ai envie de toi tout de suite!

Il glissa sa main droite sous la petite tablette abaissée devant elle, puis sous sa courte jupe. Brigitte sentit aussitôt son désir s'affirmer. La main s'insinua sous sa culotte et trouva rapidement ce qu'elle cherchait: l'endroit était déjà bien humide.

Il inséra presque brutalement un doigt en elle. La jeune femme était cependant prête à l'accueillir. Vincent s'empara alors discrètement d'une des mains de sa compagne pour lui permettre de juger son propre désir.

— Allons dans les toilettes…, souffla-t-il.

Brigitte regarda son compagnon de voyage d'un œil mi-sceptique, mi-étonné.

— Tu es vraiment sérieux, n'est-ce pas?

— Tout à fait.

— Tu me laisses y penser?

— Pas trop longtemps…

Elle réfléchit, tentant de s'imaginer le scénario. «Hum… ça serait toujours possible», conclut-elle, avant d'acquiescer d'un petit signe de la tête.

— Patientons au moins jusqu'à ce que les agents de bord débutent leur tournée…, ajouta-t-elle discrètement.

Ils profitèrent dans l'attente de la présence de la tablette pour se caresser avec plus d'ardeur. Quand l'agent de bord vint leur demander s'ils voulaient quelque chose à boire, Vincent n'eut que le temps de recouvrir de sa veste son entrejambe gonflé et de retirer sa main inopportune.

Dès que l'agent de bord les quitta, Vincent se leva et embrassa Brigitte sur la joue en lui demandant de l'accompagner. Le couple se dirigea vers l'arrière de l'appareil. Par chance, les toilettes étaient inoccupées. Brigitte laissa son amoureux prendre de l'avance et s'engouffrer dans l'une des étroites cabines, décidant une fois pour toutes de chasser ses dernières réserves et de le suivre.

• • •

Quand elle pénétra dans les toilettes, Vincent, appuyé contre le minuscule lavabo, prit soin de bien verrouiller la porte derrière elle et l'accueillit à bras ouverts. Leur étreinte devint tout de suite passionnée, tous deux retrouvant les sensations vécues tout au long de la semaine précédente. La cabine était assez étroite, mais ils n'avaient pas l'intention de s'en plaindre. Ils voulaient d'ailleurs être aussi près l'un de l'autre que possible.

Après avoir relevé sa jupe sur ses hanches et changé de place avec son compagnon, Brigitte réussit, tant bien que mal, à s'asseoir sur le petit comptoir. Les robinets s'enfonçaient douloureusement dans ses fesses, laissant s'écouler un jet tiède, mais l'inconfort fut de courte durée. Sans s'étendre en préliminaires, Vincent baissa en effet son pantalon, saisit les hanches offertes et s'enfonça entre les cuisses bien écartées de sa compagne.

Tel qu'ils s'y attendaient, quelqu'un frappa à la porte.

— Les gens ne savent pas lire le mot «Occupé»? demanda-t-elle, un peu inquiète.

— Ne t'en fais pas, il y a d'autres toilettes...

— Mais comment va-t-on s'y prendre pour sortir? Les gens vont savoir ce que nous aurons fait!

— Et alors? Ils ne peuvent pas nous jeter hors de l'appareil!

Vincent coupa court aux objections de Brigitte en écrasant ses lèvres contre les siennes. Puis, il se retira, s'agenouilla devant elle et embrassa sa toison cuivrée et ruisselante. Elle cessa immédiatement de protester et se laissa bercer par les mouvements de la langue de son amant. Les vibrations de l'appareil, ainsi que quelques turbulences le rendaient un peu maladroit, éloignant sa bouche un instant pour la projeter de nouveau sur elle. Quand il la sentit près de jouir, il se releva et s'enfouit en elle, glissant aisément le plus loin possible dans son corps. Brigitte poussa un petit cri, camouflé par les incessants cliquetis de la cabine.

Ses jambes entourant le corps de Vincent, elle le guidait en elle avec une fougue impatiente, ne pouvant s'empêcher de mordre son cou puissant. En s'avançant à l'extrême bord du lavabo, elle put appuyer ses pieds sur la cloison située de l'autre côté de la cabine, facilitant du même coup les mouvements de son amant. Chaque coup que ce dernier lui prodiguait projetait la tête de Brigitte contre le mur du petit habitacle. Mais elle semblait ne pas le réaliser, toute occupée qu'elle était à savourer son plaisir. Le souffle de Vincent s'accéléra soudain, et elle sentit venir sa propre jouissance. Elle libéra un véritable torrent, précédant de peu son amant.

Ils restèrent dans les bras l'un de l'autre pendant quelques instants, puis tentèrent de remettre un peu d'ordre dans leur tenue. Elle avait les joues roses et les yeux brillants; lui, le souffle rauque et les cheveux en bataille. Ils convinrent que la meilleure façon de faire serait sans doute de sortir en même temps et de regagner leur siège en arborant un air innocent. Mais dès qu'ils ouvrirent la porte, une dame âgée leur lança un regard chargé de mépris. Deux jeunes hommes assis à la dernière rangée, adjacente au mur de la cabine dans laquelle ils s'étaient réfugiés, leur firent toutefois un petit signe de la main, le pouce bien levé en signe d'approbation.

Brigitte rougit furieusement, tandis que Vincent se contenta de sourire.

• • •

Le reste du voyage se déroula sans histoire. En arrivant à Montréal, ils se réfugièrent quelques jours chez Brigitte, puis quelques autres chez Vincent. Il devenait clair qu'ils ne se lassaient pas l'un de l'autre, loin de là. À la fin de la semaine, au moment où Brigitte s'apprêtait à reprendre son travail, elle sut qu'elle devait lui parler de son métier, des raisons pour lesquelles elle le pratiquait. Elle vécut trois jours dans l'angoisse, se demandant comment son amoureux allait réagir à son aveu. Elle avait tellement peur que ces quelques mots changent leur relation ! Elle hésita longtemps, tergiversa, repoussa l'échéance. Finalement déterminée, elle décida que le lendemain soir, la veille de son retour au travail, serait le bon.

Comme Vincent était sorti, elle consacra cette journée aux préparatifs. Elle voulait que la mise en scène soit parfaite : champagne, repas gastronomique, musique douce... Tout d'abord, elle lui déclarerait à quel point il était devenu important pour elle. Elle lui indiquerait ensuite qu'elle n'avait pas été totalement honnête envers lui, ce qui la troublait profondément. Et comme elle avait envie d'une relation stable et exclusive avec lui, il lui fallait être la plus honnête possible. Voilà ! Il ne pourrait pas lui en vouloir, avec une telle entrée en matière !

Ensuite, elle enchaînerait sur le fait que ce métier d'effeuilleuse, qu'elle pratiquait maintenant depuis quelques années, la remplissait de bonheur. Mais qu'elle serait prête à l'abandonner, s'il était vraiment incapable de l'accepter. Cette dernière phrase la torturait, mais elle devait se rendre à l'évidence : elle était prête à abandonner son métier pour lui. Il représentait un avenir assez prometteur pour qu'elle accepte ce sacrifice. Et s'il advenait qu'il fasse ce choix, elle se débrouillerait pour trouver quelque chose d'aussi satisfaisant, quitte à retourner aux études. De toute manière, ses moyens financiers, plus que confortables, lui permettraient de prendre son temps...

Vincent serait certainement heureux qu'elle lui fasse suffisamment confiance pour tout lui avouer. Alors, pourquoi était-elle encore morte d'inquiétude? Parce qu'elle avait vu, à plusieurs reprises, dans les yeux de gens qu'elle aimait et respectait, ce mépris indiscutable à l'annonce de son métier. Et ce mépris, elle ne pourrait l'endurer venant de lui. Tout, mais pas ça! Elle tenta de se persuader qu'il ne pourrait pas réagir de la sorte, qu'il avait l'esprit ouvert et n'était sûrement pas assez puritain pour la condamner. Mais serait-ce vraiment sa réaction? Elle s'en tordait les mains d'anxiété. Car de tous les scénarios possibles, celui-là serait le pire. Elle pourrait supporter la rupture ou un changement de métier. Mais de voir dans les yeux de l'homme qu'on aime que celui-ci nous méprise, ce serait trop pour elle...

Enfin... Il était trop tard pour changer d'idée, Vincent serait là d'une minute à l'autre. Brigitte arpentait l'appartement de manière presque obsessive, à en user le tapis. Il était en retard. C'était bien le moment! Elle lui avait pourtant bien indiqué que ce soir était très important, qu'elle avait quelque chose de capital à discuter avec lui. Pourquoi alors était-il retard?

Afin de se calmer, Brigitte alluma le téléviseur et syntonisa le bulletin d'informations de dix-huit heures. L'animateur annonçait justement les manchettes du jour :

«Vol à main armée dans une succursale de la Banque Royale.»

«Importante saisie de drogues à l'aéroport de Toronto.»

«Arrestation d'un individu recherché depuis trois mois par la police de Montréal.»

Elle écouta, d'une oreille distraite, les deux premières histoires. À la troisième, son cœur cessa de battre. Une photographie de Vincent occupait l'écran, tandis que l'animateur affirmait:

«Vincent Lavoie, trente-quatre ans, a été appréhendé aujourd'hui après trois mois de recherches intensives au Mexique et au Canada. L'individu comparaîtra au palais de justice sous plusieurs chefs d'accusation. Des charges allant du simple proxénétisme à l'opération d'une maison de débauche seront portées contre lui. Il a été aperçu récemment à l'aéroport de Montréal. C'est ainsi que la police a pu retrouver sa trace...»

Brigitte n'en croyait pas ses oreilles. Elle siffla entre ses dents: «Et moi qui craignais que mon secret ne gâche tout!»

Quand nos
amis nous
laissent
tomber...

Le bar était presque désert en ce soir de semaine. Cela faisait déjà deux jours que j'étais dans cette ville où je ne connaissais personne... pas une seule âme charitable avec laquelle partager mon bonheur tout récent. Et j'avais vraiment envie d'un verre pour célébrer. Je jubilais depuis la veille de mon départ, réalisant enfin que parfois, c'est en traversant de dures épreuves qu'on peut avancer... Je m'étais donc ce soir-là installé le plus confortablement possible et m'étais accoudé au bar en chêne massif, attendant patiemment d'attirer le regard de l'homme à la mine sympathique qui se tenait derrière. Je n'eus pas à me morfondre très longtemps. Quand il m'emmena mon scotch, il remarqua mon air resplendissant et me demanda ce qui m'arrivait, précisant qu'il était bien agréable d'avoir un client qui semblait si heureux. Je voulus savoir de combien de temps il disposait. Jetant un regard morne sur la pièce alentour, il me répondit sans hésiter: «Toute la soirée!» Comme je ne pouvais malgré tout pas résister à la tentation de lui raconter mon expérience, je me lançai à l'eau:

— Jusqu'à mercredi dernier, cela faisait plus de huit mois que je souffrais. En fait, plus précisément, deux-cent-cinquante-deux jours. Deux-cent-cinquante-deux matins, midis, soirs et nuits. Huit mois et quelques jours d'angoisse et d'enfer à vivre avec ce sentiment d'irréalité, de vide presque total. Trente-six semaines de calvaire, d'agonie, de remise en question existentielle. Et pourquoi? Parce que mon meilleur ami m'a laissé tomber. Ce copain de toujours, avec qui j'ai passé les plus beaux moments de mon adolescence et de ma vie d'adulte. Cet ami, ce frère, presque un mentor. Celui-là même qui m'a initié à des plaisirs indescriptibles, qui m'a permis de les explorer autant que je l'ai désiré. L'ultime soutien sur lequel j'ai toujours pu compter, même dans les moments les plus difficiles, et qui, de la même façon, a toujours pu compter sur moi. En fait, il pouvait tellement se fier à ma loyauté qu'il a fait de moi son jouet, son esclave. Et là, sans lui, je n'étais plus rien, je n'avais plus la moindre valeur. Je me demandais même si je pourrais continuer à exister...

— Il est parti, ton copain?

— Parti? Non... non, pas du tout. Je parle plutôt de ce copain-là... Celui qui me traîne entre les jambes depuis ma naissance et qui me contrôle depuis mon huitième anniversaire environ. Mon engin. Mon instrument. Ma queue. Ma bitte. Mon pistolet, quoi! Eh bien, le salaud ne voulait plus bander. J'ai tout essayé... Il m'est évidemment familier depuis un bon moment, tu vois, et je sais comment le faire frémir. Mais toutes les situations, même les plus osées, le laissaient tout à coup complètement indifférent. Il restait là, à pendouiller mollement, n'osant même pas me regarder en face. Je lui parlais, le chouchoutais; rien n'y faisait. Je le caressais, le cajolais, le chatouillais; zéro résultat. J'essayais même de stimuler mon cerveau qui était censé, contrairement à toutes mes croyances, contrôler les stimuli de la libido et envoyer le message adéquat... mais sans résultat.

— Oh, mon vieux... je suis désolé.

Le barman avait pris une mine d'enterrement, probablement plus sombre que si, effectivement, un ami en chair et en os s'était éteint. Il frissonna et me demanda:

— C'est vraiment arrivé comme ça, d'un seul coup? Sans avertissement et sans que tu aies jamais rien connu de semblable auparavant?

— D'un seul coup, je te dis. Pour la première fois de ma vie. Et je ne souhaite cela à personne! Si tu veux que je te raconte tout...

— Oui! Ça ne m'a jamais réellement inquiété, mais je suis curieux. On n'est jamais trop informé sur ce genre de choses!

— Tu as tout à fait raison. J'aurais peut-être moins paniqué si j'en avais déjà entendu parler. Voyons... par où commencer? Tout d'abord, voici une petite présentation de ma vie et de ce que cet organe avait de fabuleux avant qu'il ne me joue ce terrible tour.

Je vis depuis deux ans avec une femme superbe. Du moins, je partageais sa vie jusqu'à tout récemment... Elle est de trois ans mon aînée, très compréhensive — jusqu'à une certaine limite, toutefois — et elle est, je dois l'avouer, «vraiment bandante». Cette femme, donc, a été la première avec qui j'ai eu une relation dite stable. Je m'explique: pendant deux années complètes, je n'ai couché avec aucune autre femme, et elle-même n'a couché avec aucun autre homme, du moins à ma connaissance. C'était ainsi ce qu'on pourrait appeler l'amour avec un grand A que je vivais avec elle. Avant elle, j'avais bien sûr exploré les possibilités offertes par la gent féminine et ses multiples facettes si adorables. Je crois d'ailleurs pouvoir affirmer que j'ai essayé tout ce dont j'avais envie, avec le nombre ou le genre de partenaires les plus variés possible.

Le barman hocha la tête en signe de compréhension et me considéra d'un air rempli de respect.

— Tu vois, je vénère la femme en tant qu'espèce, continuai-je. Qu'elle soit blonde, brune, rousse ou même grisonnante. Grande, petite, maigre ou grassette. Chaque femme recèle un mystère que l'homme, s'il est assez habile et chanceux, se doit de découvrir.

— Tu as tout à fait raison. Raconte... tu en as découvert d'assez bons pour me les faire partager?

— J'en aurais pour des heures! Mais les meilleurs? Attends... Ah, voilà! C'est sûrement la fois où j'ai eu droit à un massage très sophistiqué, prodigué par les mains talentueuses de deux très jolies Orientales. Je dis «leurs mains», mais en fait, toutes les parties de leurs corps menus s'y étaient impliquées. Imagine-toi qu'après m'avoir copieusement enduit d'une huile à la douce odeur d'amande, elles se sont mises à glisser sur moi comme des anguilles, l'une devant, l'autre derrière. Je voyais des mains partout, entre mes fesses, sur ma queue, autour de ma taille, dans mes cheveux, et je sentais leur langue s'insinuer dans chaque recoin de mon anatomie. C'était divin. Penses-y un peu! On aurait dit une compétition pour savoir laquelle me ferait le plus jouir. Elles étaient toutes deux délicates, minuscules. Après m'avoir tâté, léché, empoigné à qui mieux mieux, j'ai eu droit à leur petit sexe. Or, elles étaient étroites au point d'étouffer ma pauvre queue! Mais je ne m'en plaignais pas, rassure-toi! Je m'efforçais plutôt d'en pénétrer une, tout en faisant jouir l'autre de mes mains libres, puis elles changeaient de rôle. J'avais à peine le temps de discerner les traits de celle que je venais d'enfourcher que, déjà, l'autre prenait sa place. Et invariablement, lorsque j'étais prêt à exploser, l'une d'elles s'asseyait sur mon visage, me forçant à la lécher avec conviction, tandis que l'autre me massait tendrement, me permettant de refaire mes forces et de résister un peu plus longtemps. Puis, quand elle sentait que j'étais revigoré, elle me suçait frénétiquement. Et le jeu recommençait sans cesse. J'arrivais à peine à distinguer une bouche d'un sexe autour de ma queue. Je ne sais pas comment j'ai fait, mais ça a duré des heures. Ah, que de doux souvenirs... Ces deux filles m'ont fait goûter des plaisirs fabuleux. Ma peau a senti l'amande des semaines durant...

Le barman émit un petit sifflement, avant d'ajouter:

— Hum... je crois que je me suis marié trop jeune. Il y en a eu d'autres de ce genre?

— Oh que oui! J'étais dans mon époque glorieuse.

Je restai silencieux quelques instants, tentant de me remémorer ces souvenirs. Et Simone me revint alors en mémoire.

— Je me souviendrai toujours de Simone. La dure, la méchante Simone. Figure-toi qu'un jour, elle m'a emmené dans ce qu'elle appelait son «donjon», où une pauvre fille, complètement nue, était attachée et bâillonnée. Habillée en véritable tortionnaire, fouet au poing, Simone m'a bien enchaîné à mon tour. Elle s'est ensuite d'abord amusée à violenter la pauvre fille avec sa main, puis avec le manche du fouet. J'étais fasciné en voyant ce dernier s'enfoncer en elle et, surtout, par le plaisir que cela semblait procurer à Simone. Elle a fait jouir sa victime plusieurs fois comme ça, et je souffrais terriblement de ne pas participer à l'action. Soudain, Simone m'a détaché et ordonné de faire l'amour à la fille, tandis qu'elle se masturberait. Et il n'était pas question de refuser, bien sûr! Je me suis donc exécuté sans rechigner. La fille était complètement trempée quand j'ai glissé en elle d'un coup, comblant ainsi les désirs de Simone. Je me suis enfoncé dans ce corps palpitant de plaisir de toutes mes forces, tout en regardant ma maîtresse. Sa main allait et venait sur son sexe rasé, entre les lanières du fouet, et de temps en temps, pour me récompenser, elle me gratifiait de quelques coups bien administrés. Néanmoins, la flagellation n'était pas trop douloureuse, et la victime, délicieuse. D'une passivité totale, elle endurait en effet tous les coups sans se plaindre, alors que Simone me poussait à abuser d'elle par tous les moyens et par tous les orifices. Et on ne refusait rien à Simone, crois-moi!

Bref, quand ma maîtresse a finalement jugé que la pauvresse avait suffisamment souffert, elle m'a ordonné de la faire jouir à son tour avec le manche du fouet. Je me suis donc plié à ses désirs, la sachant totalement imprévisible. Puis, quand elle en a eu assez de cet instrument de luxure, elle m'a intimé d'entrer en elle, alors que mon sexe était encore lubrifié par la jouissance de l'autre femme. Cette dernière m'a regardé partir à regret, me suppliant du regard de rester près d'elle. Simone a alors eu pitié à la vue de cette évidente déception et s'est approchée d'elle, pour la laisser pétrir ses seins et l'embrasser, tandis que je la pénétrais par derrière de ma queue juste à point. Simone était à son tour devenue la victime...

— Oulala! Tu me fais marcher, là!

— Non, je te le jure! Je sens encore la brûlure du fouet dans mon dos.

— Elle habite où, cette Simone?

— Ah, je peux te donner son numéro de téléphone, mais sans garantie aucune, je te préviens!

Le barman arborait maintenant un air franchement révérencieux à mon égard. De toute évidence, il m'admirait autant qu'il m'enviait. Je poursuivis:

— J'allais presque oublier la fois où je me suis retrouvé la queue glissant entre deux énormes seins, ballottant sur un lit d'eau. Alors que le compagnon de la femme qui possédait cette poitrine fascinante se tenait derrière elle et la pénétrait sans relâche, celle-ci me suçait ou frottait ses énormes canons autour de ma queue. Elle les pressait l'un contre l'autre, enfermant ma verge dans un écrin de chair satinée. Quand j'ai joui, elle a eu le visage copieusement arrosé...

— Bon, ça suffit! Je te crois. N'en ajoute pas, ça devient pénible!

— Oui, bon, d'accord. Je ne les ai jamais revues, ces filles. Aucune d'entre elles. Mais tout ce que je viens de te raconter, c'était pour te démontrer que ma queue n'avait jamais été timide. Elle a même eu la chance de vivre des expériences auxquelles la plupart de ses congénères ne peuvent que rêver.

— Effectivement!

— Enfin... pour continuer mon histoire, comme plusieurs,

j'ai découvert la sexualité vers l'âge de huit ans. Ma maîtresse d'école, en deuxième année, était une grande rousse à lunettes qui portait toujours des jupes très courtes. Elle avait des jambes à n'en plus finir qui enflammaient l'imagination de tous les garçons de ma classe. Je ne me souviens pas très bien de ma première érection, mais ma première éjaculation, elle, je ne pourrai jamais l'oublier. C'était un dimanche après-midi, alors que je venais de surprendre ma sœur, alors âgée de dix-huit ans, en train de se changer. Elle se tenait devant son miroir, complètement nue, et se touchait un sein presque nonchalamment. En la voyant comme ça, j'ai eu une magnifique érection. Mais c'est quand elle a écarté les jambes et s'est touchée plus bas que j'ai senti mon pantalon tout poisseux. À partir de ce jour-là, ma vie a pris une nouvelle dimension, celle de tout mâle qui atteint sa maturité sexuelle. Enfin, le terme maturité est un bien grand mot! Disons plutôt «tout mâle chez qui les organes sont arrivés à maturité», ce serait plus juste.

Mon nouvel ami m'adressa un clin d'œil complice.

— Dès ce jour-là, comme tous les jeunes garçons, j'ai exploré mes fantasmes au moyen de petits trucs innocents, comme essayer de voir sous les jupes de mes amies à l'école ou surprendre notre voisine en train de se déshabiller. Rien de bien spécial ni de très original, mais pour un adolescent précoce, tout cela ouvrait de nombreuses possibilités. Revenons néanmoins à la femme avec qui je partageais ma vie jusqu'à tout récemment: Ève. C'est avec elle, et non à cause d'elle — je ne le crois pas, du moins — que mon calvaire s'est déclaré. Au début, la première fois que ça m'est arrivé, il n'y avait rien de bien inquiétant. Nous avions consommé quelques verres de trop, j'avais donc une bonne excuse. Dès l'aurore, cependant, pour reprendre le temps perdu la veille, je me suis mis à caresser le corps chaud qui se trouvait à mes côtés. Mais mon sexe n'était pas, comme presque tous les matins, dur au point d'éclater... Ce simple détail aurait dû me mettre la puce à l'oreille. Je me suis cependant dit qu'à la moindre réaction de mon amoureuse, j'aurais le membre bien brandi et prêt à l'assaut. Seulement, voilà... Elle s'est réveillée en s'étirant comme une chatte, avant de passer sa langue sur ses lèvres avec un petit sourire aguicheur. Et mon membre, lui, s'est obstiné au repos. À mon grand embarras, il a refusé toute initiative et est resté complètement endormi. Je n'en croyais pas mes couilles! Mais qu'est-ce qui m'arrivait, en bas? J'étais pourtant très excité! Mon cerveau, pourtant tout à fait éveillé, aurait dû envoyer le signal que j'attendais avec tant d'impatience. Mais rien de rien, il ne se passait rien! Au début, Ève a observé ma queue, éberluée. Et je la comprends, elle n'avait jamais rien vu de semblable chez moi! Elle a souri gentiment et s'est penchée sur moi, m'a caressé d'abord le cou avec de petits lapements agaçants, puis a léché mes mamelons, mes côtes et mon ventre. «Ouf!», me suis-je dit. «J'ai presque eu peur, pendant une seconde, là!» J'étais convaincu que ce traitement, aussi familier était-il, arrangerait tout. Mais je me trompais. La bouche d'Ève s'est enfin rendue jusqu'à ma verge et l'a enfournée entièrement. J'ai fermé les yeux, laissant la nature suivre son cours. Mais quelques instants plus tard, Ève a relevé sa tête ébouriffée en me regardant fixement, avant de me demander ce qui clochait. Elle avait cependant l'air moins inquiète que narquoise. Je me suis évidemment défendu en répétant à qui mieux-mieux que tout allait bien, mais Ève s'est levée et est partie prendre une douche.

J'étais de mon côté complètement sous le choc. Je tentais d'imaginer son corps sous le jet d'eau, le savon étalé sur chaque parcelle de sa peau. Ceci aurait bien dû avoir un effet sur mon engin, enfin! Je me suis même vu la rejoindre, répandre entre ses cuisses une mousse abondante, puis la pénétrer avec force parderrière. Avant, ce genre d'images réveillait toujours le guerrier en moi. Mais cette fois-ci, c'était peine perdue...

En entendant Ève fermer les robinets, j'ai fait semblant de m'être assoupi. Je l'admirais en train de traverser la chambre, nue et ruisselante. Elle s'est vêtue lentement, en commençant par enfiler son soutien-gorge, puis sa culotte assortie, ses bas de soie, sa jupe, sa chemise, son veston, et enfin ses chaussures. Ce spectacle me rendait normalement fou. Ces vêtements, qu'elle portait pour aller travailler, provoquaient normalement l'érection d'un véritable mât dans mon pantalon. Mais pas ce matin-là, il n'y avait rien à faire. De dépit, une fois Ève partie, j'ai empoigné le traître d'une main rude, le forçant à me regarder bien en face, et l'ai engueulé proprement. Cet épisode de fureur m'a laissé pantois. Vidé. Complètement à plat. Tu peux le comprendre, n'est-ce pas ? J'ai quand même décidé de prendre cette situation avec un grain de sel et ai fini par me dire qu'il ne s'agissait sans doute que d'un petit accident de parcours.

— Ce n'était pas le cas ?

— Ça aurait été trop simple, voyons ! Quelques jours plus tard, nous nous préparions, Ève et moi, à sortir pour une soirée entre amis. Les soirs précédents, je n'avais rien tenté par peur de revivre un autre cuisant échec. Mais ce soir-là, j'avais vraiment l'intention de rétablir l'ordre normal des choses, et tout indiquait que ma compagne avait la même idée en tête. Je la regardais s'habiller d'un œil libidineux, enregistrant notamment le fait qu'elle ne portait rien sous sa courte jupe. Elle a ensuite glissé à ses pieds des sandales à talons hauts. Je n'avais tout à coup plus tellement envie de sortir, mais Ève m'a convaincu de patienter.

Là-dessus, nous avons quitté la maison. Tout au long de la soirée, je ne pouvais m'empêcher de penser à son sexe prenant l'air, bien tranquille, sous sa jupe. Combien de fois, à la faveur d'une table bien nappée, ai-je tenté d'y insérer une main discrète ? Ève me laissait faire jusqu'à un certain point, avant de refermer les cuisses et de repousser ma main. Une fois, mes doigts ont toutefois pu la toucher, sentir cette moiteur bien particulière et appétissante.

À ma grande joie, j'ai enfin senti un soubresaut dans mon pantalon. Ce petit toucher devait avoir réveillé mon membre paresseux. Tu ne peux pas t'imaginer à quel point j'étais fier! J'ai tenté de le laisser savoir à Ève. Pour ce faire, je lui ai doucement pris la main et l'ai guidée le long de mon pantalon, jusqu'à mon entrejambe. Mais ô malheur! Juste au moment où elle allait atteindre son but... pfff, ma queue s'est ramollie. Comme un stupide ballon qui se dégonfle. Elle a toutefois dû en sentir les ultimes vibrations, car elle m'a souri et m'a signifié qu'elle serait disposée à partir bientôt. Mais la soirée s'est éternisée. De conversations plus ou moins intéressantes en blagues plus ou moins drôles, nous nous sommes retrouvés, quelques heures plus tard, toujours assis à cette maudite table. Je devenais impatient, et la soirée m'ennuyait. J'avais presque oublié la jupe d'Ève, concentré que j'étais à camoufler mes bâillements de plus en plus fréquents. Quand, enfin, nous avons pu partir, je n'avais plus qu'une idée en tête: dormir. Mais ma compagne, elle, nourrissait des projets bien différents.

En arrivant chez nous, elle m'a à peine laissé le temps de franchir la porte, avant de se ruer sur moi et de me couvrir de baisers gourmands. Dormir? Qui avait besoin de dormir? Elle m'a plus poussé qu'entraîné vers la chambre. Se frottant tout contre moi, ses bras pétrissaient mes fesses et mon dos. Puis, en glissant une longue cuisse entre mes jambes, elle m'a fait sentir son impatience. Quand sa main est alors venue tâter mon bas-ventre et n'y a rien trouvé de bien excitant, elle m'a juré que je ne perdais rien pour attendre.

Après avoir enflammé les deux lampions ornant nos tables de chevet, elle a allumé la radio. Elle m'a fait étendre sur le lit, y a grimpé à son tour et, debout, s'est mise à danser sensuellement devant moi. Elle a déboutonné lentement sa blouse. Puis, elle a saisi ses seins de façon à les laisser s'échapper du soutien-gorge et les a caressés, parvenant même, par quelque gymnastique cervicale qui m'était inconnue, à faire en sorte que sa langue les atteigne. D'un geste presque tendre, elle a redressé ses mamelons foncés, qui semblaient me regarder fixement dans l'attente d'un mouvement de ma part. Ensuite, en relevant sa jupe sur ses hanches, elle a ouvert les jambes, me laissant admirer son sexe luisant dont la douce odeur sucrée me parvenait.

Elle a alors retiré ses chaussures, et en écartant davantage encore ses jambes, elle a glissé une main entre ses cuisses, continuant la caresse que j'avais entamée quelques heures plus tôt. Je restais là sans bouger, me régalant du spectacle. Elle s'est bientôt avancée un peu plus près de moi, a déposé un pied sur ma poitrine et l'autre sur les oreillers. J'avais ainsi son sexe au-dessus du visage, assez près pour en discerner chaque repli, mais trop éloigné pour y toucher. Il faut dire que ses jambes gênaient mes mouvements, et c'est exactement ce qu'elle voulait!

Condamné à l'immobilité, j'ai regardé avec fascination un de ses doigts s'insérer en elle et en ressortir humide et ruisselant. Je m'attendais, à chaque instant, à ce qu'une goutte de sa sève vienne atterrir sur mon visage, me permettant enfin d'y goûter, mais Ève faisait durer le suspense. Son doigt s'est activé de plus en plus fermement entre ses lèvres maintenant gonflées. Je la sentais prête à s'abandonner, à se laisser aller à la jouissance. Mais elle n'en a rien fait. Après s'être tout à coup redressée, elle est partie chercher un flacon en cristal de forme ovale et au bout arrondi.

Elle s'est ensuite repositionnée à nouveau au-dessus de mon visage et a engagé le flacon en elle. Celui-ci s'est inséré facilement, ayant l'air fait sur mesure pour cette opération. Connaissant bien ma compagne, je me suis alors empressé de déposer ma main droite, libérée cette fois-ci, sur son bas-ventre, laissant un seul doigt chercher la petite excroissance qui, je le savais, la ferait hurler de plaisir. Effectivement, ce dernier a trouvé ce bouton magnifique, qu'il a frotté doucement. Ève avait le souffle court, sentant sa jouissance imminente. Je la regardais tendrement, avec l'envie folle de remplacer cette fiole par mon membre, mais elle ne m'en a pas donné le loisir. Remuant le bassin de façon à déplacer mon doigt plus rapidement sur elle, Ève a enfin joui, déversant le fruit de son plaisir sur mon visage.

— C'est incroyable, tu ne fais qu'en parler et je bande, haleta le barman… Et ça a marché ou pas, cette amorce ?

— Un peu de patience, j'y arrive. Je savais maintenant ce qui m'attendait. Contrairement à d'autres femmes, quand Ève jouissait, elle devait absolument se faire pénétrer avec force, pour en quelque sorte « compléter » son orgasme.

À bout de souffle, impatiente, elle a alors tenté d'arracher mon pantalon. Mais ses mains, rendues maladroites, n'arrivaient pas à le déboutonner, aussi m'a-t-elle imploré de l'aider. Seulement voilà, je savais qu'elle ne trouverait malheureusement pas ce qu'elle cherchait si désespérément. Enfin, pas pour le moment. Je devais donc sauver ma peau. Je lui ai ainsi proposé de la faire jouir de nouveau pour retarder l'échéance. J'ai essayé de la renverser, feignant de m'attaquer à elle avec ma langue humide. J'ai finalement réussi à la convaincre et l'ai retournée sur le dos, avant d'enfouir mon visage entre ses cuisses ruisselantes et de l'entraîner, avec toute la dextérité et le savoir-faire qui étaient miens, dans les délices de la volupté. Je tentais en même temps de convaincre ma queue de réagir, de faire ce pour quoi elle avait été conçue, mais en vain. Je goûtais le sexe d'Ève, qui semblait apprécier le traitement depuis un bon moment. Ses ongles me griffaient le dos, et ses cuisses me serraient la tête. Tout à coup, l'inspiration m'est venue. Je détenais enfin l'idée qui causerait la réaction tant attendue de mon organe. J'ai soufflé à Ève : «Parle-moi, confie-moi ce que tu ressens...» En gémissant, elle s'est immédiatement exécutée : «Ah, je brûle, je me sens couler comme une chute! Il ne me manque que ta grosse queue pour me remplir complètement! Je viens, je viens!»

Et, comme par magie, ma queue a enfin réagi. Timide au départ, elle s'est dressée fièrement. En sentant la chose, je me suis évidemment empressé de défaire mon pantalon. J'ai jeté un coup d'œil à mon organe et l'ai enfin reconnu, prêt à intervenir comme avant. Mais au moment où sa tête a effleuré la cuisse d'Ève, il m'a refait le coup du ballon dégonflé. J'étais bouleversé. J'ai tenté de cacher cet outil gênant à ma compagne, malheureusement sans succès. Ève a vu sa déconfiture presque en même temps que moi. Elle s'est alors levée, s'est couverte du drap froissé et est partie dans le salon. Malgré mes excuses, elle m'a presque immédiatement accusé d'avoir une aventure avec quelqu'un d'autre.

— Typique!

— Ouais. Je lui ai bien assuré que ce n'était pas le cas et que j'étais aussi inquiet qu'elle de cette situation. Elle ne savait pas trop comment réagir. Elle ne désirait pas se fâcher, mais n'y pouvait rien. Elle a donc décidé de se coucher, me laissant seul sur le balcon, où j'ai fumé cette nuit-là environ un paquet de cigarettes à la chaîne, tout en m'interrogeant. «Pourquoi moi? Pourquoi maintenant?», me demandais-je. Je n'avais pourtant rien changé à mes habitudes. Je n'étais pas plus stressé ou angoissé qu'en temps normal. Il ne m'était jamais rien arrivé de semblable et j'étais désespéré. J'ai fini par m'endormir sur le canapé et ai eu quelques heures de sommeil agitées. Au lever du jour, j'ai constaté en m'éveillant que ma stupide queue était aussi flasque que la veille. Même mes érections matinales, incomparables et légendaires, avaient disparu. Il fallait donc que je trouve une solution.

Peut-être certains de mes copains avaient-ils déjà vécu quelque chose de similaire? Je me suis empressé de le leur demander.

— Et je suppose qu'ils t'ont dit que ça ne leur était jamais arrivé, c'est ça?

— Exactement! Ils n'ont fait qu'empirer mon état, en fait! Comme si j'attaquais leur virilité parce que moi, je m'étais mis à nu devant eux, risquant le ridicule. Ils prétendaient faire l'amour presque chaque jour. Les rares fois où cela ne se produisait pas, c'était à cause de leurs copines! Alors, ils ont conclu que c'était peut-être Ève qui ne me faisait plus d'effet. Quand je leur ai assuré que ce n'était vraiment pas le problème, ils m'ont suggéré d'aller voir ailleurs. Sans tricher nécessairement, s'entend. Il me suffirait simplement, disaient-ils, de regarder des danseuses ou des films, bref n'importe quoi qui me faisait normalement bander.

Cette suggestion en valait bien une autre. En retournant à la maison, ce soir-là, j'ai par conséquent décidé de louer un film «spécial». J'étais friand, avant de rencontrer Ève, de certains de ces long-métrages où des dominatrices, toutes de cuir vêtues, faisaient la fête à un pauvre homme réduit à l'état d'objet. La seule pensée qu'une amazone, fouet à la main et rouge écarlate aux lèvres, me masturbe jusqu'à ce que je crie grâce m'avait toujours excité. Une fois cette décision prise, je me suis dirigé chez moi le cœur léger.

En arrivant, Ève m'a accueilli vêtue d'un petit corset en dentelle, deux coupes de vin à la main. Elle m'a installé sur le canapé et est venue s'asseoir à mes côtés. Elle s'est après excusée pour sa réaction de la veille et m'a demandé s'il y avait quelque chose qu'elle pourrait faire pour m'aider à surmonter mon «problème». Je lui ai fait part de mon plan. Sans un mot, elle est alors partie vers la chambre et en est ressortie un peu plus tard, portant un bikini de similicuir, de longues bottes à talons hauts et tenant deux ceintures de cuir à la main. Elle m'a noué les mains avec l'une d'elles et m'a fait choisir le film que je souhaitais parmi l'imposante sélection qui figurait sur l'écran.

Celui que j'ai sélectionné répondait tout à fait à mes attentes. Une grande brune y menaçait de son fouet un pauvre homme impuissant, l'intimant de lui lécher les bottes, puis le sexe, sous peine de flagellation. Ève a fait la même chose que le personnage du film. Elle s'est agenouillée au-dessus de ma bouche et m'a obligé à la lécher de côté, de manière à ce que je puisse suivre ce qui se passait sur l'écran. Dans le film, la grande brune enfonçait ensuite un de ses seins volumineux dans la bouche de l'homme. Elle a aussitôt été imitée par Ève, qui m'a presque étouffé. Après quelques minutes de ce manège, l'homme, bandé comme un taureau, s'est fait arracher le pantalon. La femme l'a ensuite caressé doucement, enroulant son fouet autour du sexe brandi bien haut. Puis, elle a pris la queue de son partenaire dans sa bouche, et sa salive a bientôt coulé le long du pénis, son rouge à lèvres y laissant des traces écarlates.

Ève s'est à son tour emparée de ma verge toute molle et a entrepris de la cajoler. De sa bouche experte, elle a sucé, tâté, secoué, léché tant et si bien que j'ai ressenti un petit courant électrique me parcourir la queue. Encouragée, Ève m'a sucé de plus belle, se caressant aussi pour ne pas me laisser souffrir seul. Quant à moi, je l'admirais de côté, les fesses rebondies, les cuisses écartées, les lèvres autour de ma queue. Quelle vue, mon ami! Le haut de son bikini retenait à peine ses seins, les laissant s'écraser contre ma hanche. Sur l'écran, le bonhomme avait le visage congestionné, alors que la belle l'aspirait avec force. Sa queue était immense, ce qui n'empêchait pas la femme de l'avaler entièrement. Quand, enfin, il a joui, répandant son sperme sur le visage comblé de la femme, j'ai senti ma queue se ramollir d'un seul coup. Ève a relevé la tête, déçue.... Et j'ai détourné la mienne, très gêné.

«Dis donc, ça va vraiment pas, hein?», m'a dit Ève. «Non, comme tu le vois… j'ai peur!», ai-je répondu, l'air penaud.

Mon amie m'a alors pris tendrement dans ses bras, mais ne s'est pas découragée, au contraire. Le lendemain, nous sommes allés essayer les danseuses. Ève savait bien qu'à une époque pas si lointaine que cela, j'y allais régulièrement avec mes copains. Elle a donc ravalé son orgueil et m'a accompagné dans un club. Le bar n'était pas bien différent de tous les autres du genre. Après avoir pris place le long de la petite scène, Ève et moi admirions ces beautés quand l'une d'elles, entre deux pas de danse plutôt suggestifs, a fait voler sa culotte, qui a atterri sur mon épaule. Ève m'a regardé avec un petit sourire amusé. La fille, elle, est restée devant moi quelques instants, jusqu'à ce que ma compagne lui fasse signe de venir plus près. Ève lui a glissé un billet sous son porte-jarretelles, billet que la danseuse a fait aussitôt disparaître. Cette dernière, de toute petite taille, avait des seins énormes, des hanches bien rondes et de très longues jambes. Ses cheveux étaient remontés en chignon et elle ne portait, en dehors d'un petit cache-sexe, d'un porte-jarretelles et du minuscule soutien-gorge assorti, que des chaussures rouges aux talons incroyablement hauts.

La danseuse a approché son tabouret de l'endroit où nous étions assis et s'est mise à danser pour nous, en me regardant droit dans les yeux. Elle évoluait lentement, s'adaptant au rythme de la musique. En s'étirant langoureusement comme une chatte, elle s'est retournée pour me laisser admirer la courbe de ses fesses rondes. Puis, elle m'a fait face, laissant le bout de ses seins généreux s'approcher jusqu'au point de me chatouiller le nez. J'ai eu beaucoup de peine à ne pas sortir la langue pour les goûter. Les mains de cette charmeuse dessinaient les contours de son corps, et dans un mouvement, elle a défait son chignon et laissé retomber son épaisse chevelure, qui a cascadé jusqu'à ses reins. Pendant ce temps, Ève me murmurait des choses très intéressantes à l'oreille. Elle voulait notamment savoir si la fille me plaisait, si j'aimerais qu'elle se joigne à nous. Tu penses! Elle a proposé de l'inviter, me demandant si une petite fête à trois m'exciterait, si ça me plairait de la voir, elle et cette inconnue, en train de faire l'amour devant moi. Se rendant compte que ses paroles avaient de l'effet, elle en a rajouté. Elle m'a dit que je pourrais prendre la danseuse par-derrière, tandis qu'elle la caresserait à son tour et qu'après, elles pourraient échanger leurs positions. Alors que la pièce musicale se terminait, Ève a glissé un autre billet à la danseuse et a repris ses plaisants chuchotements. Elle a prétendu qu'elle trouvait les seins de la fille vraiment beaux, qu'elle aimerait bien y toucher. Elle m'a aussi affirmé qu'elle n'avait jamais fait une telle chose, que je devrais le lui apprendre. Ou alors, que je pourrais avoir l'autre femme pour moi tout seul, qu'elle se contenterait de nous regarder. Ma nuit avec Simone m'est soudain revenue en mémoire, et j'ai senti ma queue tressauter. Mon cerveau s'enflammait tant les possibilités qu'Ève me présentait étaient bouleversantes. Je m'imaginais avec plaisir, entouré des deux beautés, les prenant l'une après l'autre, avec une petite pipe entre les deux. La seconde chanson tirait à sa fin. J'avais maintenant assez vu la danseuse. Tout ce que je désirais, c'était prendre Ève le plus brutalement possible. Mes jours d'orgies étaient terminés, mais ça ne voulait pas dire que je ne pouvais pas abuser de ma petite amie, quand même!

En prenant Ève par la main, je l'ai entraînée d'un pas rapide vers notre voiture. J'étais bien décidé à la baiser sur le siège arrière, là, tout de suite. Nous avions de toute façon laissé l'auto dans un stationnement assez éloigné de l'artère principale et que je savais sombre. J'ai donc ouvert la portière arrière de la voiture et y ai précipité une Ève consentante. En refermant la porte derrière moi, je me suis empressé de dégager ses seins et de les mordiller. Puis, j'ai fouillé sous sa robe à la recherche de son sexe qui, une fois de plus, était bien à découvert, libre de tout vêtement. Je n'ai pas voulu prendre la chance d'attendre ou de faire un faux pas. J'ai défait mon pantalon à toute allure et me suis étendu sur elle… avant de me mettre à pleurer ! Je n'avais même pas eu le temps de sortir ma queue de mon pantalon qu'elle s'était déjà ramollie après un dernier sursaut.

— C'est pas possible ! Écoute, tu commences vraiment à me faire peur, à moi aussi ! Après tous ces essais, ça s'est réglé ou pas ?

— Laisse-moi continuer. Devant cet autre lamentable échec, comme tu t'en doutes, j'étais complètement désemparé. Ève m'a consolé du mieux qu'elle l'a pu, mais rien n'y a fait. Je ne savais plus quoi faire. En rentrant, je me suis servi un double scotch, puis un autre, et suis parti me coucher.

Le lundi matin suivant, j'ai quitté ma douce compagne sans qu'aucun changement ne se soit produit. J'étais dans un état pitoyable. Au bureau, vers treize heures, ma secrétaire m'a informé qu'une certaine madame Lemieux désirait me voir. «Madame Lemieux ? Je n'en connais pas, de madame Lemieux», me suis-je dit. J'ai tout de même demandé à ma secrétaire de la faire venir à mon bureau.

Sur le coup, je l'ai à peine reconnue. Ève portait pourtant souvent ce genre de vêtements : tailleur ajusté, blouse de satin, talons hauts, bas de soie. Mais cette fois-ci, son visage était camouflé par un énorme chapeau orné d'une voilette. Bref, elle semblait tout droit sortie d'un exemplaire de *Paris Match* ou d'une autre revue de mode. Une fois la secrétaire éclipsée, Ève s'est empressée de refermer la porte. Devant mon air ébahi, elle m'a avoué qu'elle passait dans le coin et se demandait comment j'allais. Tout en parlant, elle a croisé les jambes, faisant du même coup se relever sa jupe et exposant la couture de ses bas. J'étais fasciné par cette jambe gainée de soie comme s'il s'était agi d'une seconde peau. Ève avait revêtu un porte-jarretelles assorti à la couleur de ses bas et s'amusait à en étirer les courroies. En remontant une de ses jambes sur mon bureau, le talon bien appuyé sur le meuble, elle m'a montré qu'elle avait définitivement pris l'habitude de ne plus porter de culotte sous ses vêtements. J'ai dégluti péniblement, voyant où elle voulait en venir. Elle a alors pris un stylo qui traînait sur mon bureau et s'est amusée à le glisser sous la lisière soyeuse de ses bas, m'indiquant combien il me serait facile de les lui enlever. Puis, la plume s'est mise à dessiner des arabesques dans les poils très courts entourant son sexe, contournant les lèvres charnues, disparaissant ponctuellement pour réapparaître ensuite, toute luisante. Ève a ensuite léché distraitement le bout du stylo qui était en elle quelques secondes plus tôt et m'a demandé si sa tentative de séduction réussissait. J'ai regardé mon pantalon et ai été ravi de voir une petite bosse en orner le devant. Je lui ai fait un petit sourire narquois. Elle me l'a rendu et, sans que je puisse l'en empêcher, a grimpé sur mon bureau et a remonté sa jupe autour de sa taille. Puis, elle s'est installée sur les mains et les genoux et m'a présenté son entrejambe étincelant au visage. Devant tant de beauté, je me suis emparé d'un petit trophée cylindrique qui trônait sur mon bureau et l'ai inséré lentement et doucement en elle. J'avais son sexe à la hauteur des yeux et pouvais en voir tous les replis, admirer l'objet que j'enfonçais en elle s'enduire de sa jouissance. Je me suis vite enhardi et ai accéléré mon mouvement. Ève a gémi, et sa main a glissé à la rencontre du trophée, s'activant sur la fine pointe de son sexe affamé. Je l'ai regardée jouir, presque hypnotisé par le mouvement de va-et-vient que j'imposais à l'objet en métal. J'étais à ce point fasciné que je n'ai pas immédiatement réalisé que mon érection était maintenant complète. Quand, enfin, elle est devenue telle qu'il m'était impossible de l'ignorer, j'ai fait descendre Ève de mon bureau. Puis, en la retournant dos à moi, j'ai renversé le haut de son corps sur la surface de bois et me suis emparé d'elle. Je me suis frotté contre son corps divin, m'apprêtant à la conquérir.

— Dans ton bureau?

— Oui, dans mon bureau! Il faut dire qu'il n'y avait pas de fenêtres donnant à l'intérieur et que l'insonorisation était supérieure. Mais revenons à mon histoire. J'ai embrassé le cou et les épaules d'Ève, avant de faire glisser son chemisier sur ses seins, puis de lui pincer les mamelons. J'étais si soulagé! Cette fois-ci, ça marchait! Je me suis alors dit que s'il fallait que je me résigne à ne faire l'amour qu'au bureau, eh bien tant pis, c'est ce que je ferais!

Cette pensée a cependant dû avoir un effet négatif, car instantanément, ma queue a repris l'apparence flétrie qui lui était maintenant trop coutumière. Voyant cela, Ève s'est levée d'un bond, a ajusté ses vêtements rapidement, ouvert en grand la porte de mon bureau et, sur un «Merci quand même, Monsieur Boisvert!» plutôt sec, a quitté la pièce, me laissant là, à la vue de tous, le pantalon enroulé autour des genoux!

— Aïe! Quelqu'un t'a vu?

— Je ne le crois pas. Mais je suis presque sûr que ça n'aurait pas tellement été pire en terme d'humiliation. J'étais anéanti! Ève a tout de même persévéré pendant plus de trois mois. Je lui en saurai toujours gré, même si c'était inutile. Elle a tout essayé: costumes aguichants de tous genres, accessoires, films plus osés les uns que les autres. Finalement, elle a abandonné. Elle a commencé à se détacher de moi, jusqu'à ce que nous nous rendions à l'évidence: le dommage était irréparable, et la situation ne semblait aucunement vouloir s'améliorer.

Nous nous sommes finalement quittés, amers et déçus. Mais je ne pouvais pas lui demander plus de patience ou de coopération, car mon cas semblait irrécupérable. Ève a fini par me traiter de lâche parce que je refusais d'aller consulter un médecin. Mais je pensais que je n'avais rien, moi! Je bandais encore avant de passer à l'action, et c'était alors que tout se gâchait! Je ressentais toujours le même frétillement dans les moments d'excitation, mais tout de suite après, cette espèce de chute de pression venait tout gâcher. Et il était hors de question que j'en parle à un médecin! Eh, c'était de ma virilité dont il était question, là! Et si je n'étais plus capable de satisfaire ma compagne sur demande comme je le faisais encore tout récemment, eh bien je devrais me débrouiller pour me guérir seul.

Devant ma mine de plus en plus pitoyable, mes copains ont fini par m'avouer que les «presque tous les jours» ou les «quatre ou cinq fois par semaine» qu'ils m'avaient servis n'étaient pas tout à fait exacts. Mon ami Sylvain m'a même confié, presque sur la défensive, qu'«avec le boulot et les enfants, c'est un peu normal... Mais je bande encore, hein!». J'ai donc choisi de ne plus leur parler de ça. À partir de ce moment-là, j'ai sérieusement commencé à dépérir. Le scotch que je me permettais après une journée particulièrement stressante s'est multiplié par quatre ou cinq chaque soir. Parfois, j'en prenais même à l'heure du midi. Je dormais mal, tentant de découvrir ce qui avait bien pu se passer, pourquoi j'avais été puni de la sorte.

— Je te comprends. À ta place, beaucoup d'hommes auraient fait pire!

— Encore un peu, et je crois bien que j'aurais sombré dans une profonde dépression. Et un beau jour, le deux-cent-cinquante-troisième pour être plus précis, j'ai pris la résolution de ne plus penser du tout à ce problème. Comme lorsqu'une personne amputée doit s'efforcer de ne plus songer à sa jambe coupée. Je haïssais mon pénis avec autant de passion que je l'avais aimé auparavant. Je ne lui parlais plus, ne le regardais plus. Je le boudais comme un enfant. Cela a duré deux jours. Le troisième, me sentant au plus bas, je me suis permis de téléphoner à Ève pour voir si elle serait disposée à me consoler. Elle m'a accueilli un peu froidement, au début. Mais je lui ai fait comprendre que j'avais vraiment besoin d'elle et ai usé de tout mon charme pour la convaincre. J'ai quand même précisé que mon problème n'était toujours pas réglé, mais que j'avais vraiment besoin d'une oreille attentive et d'une épaule réconfortante. Devant une preuve de sincérité aussi désarmante, elle a accepté.

Je ne l'avais pas revue depuis notre rupture. Je me rappelais avec mélancolie la délicatesse des contours de cette femme si belle. Je me souvenais aussi de sa grande compréhension à mon endroit. Elle avait vraiment tout tenté pour me permettre d'aller mieux. J'avais été chanceux de tomber sur une telle femme. Mais malgré tous ses efforts, plus elle était attirante, plus ma queue s'obstinait. Plus elle essayait de me rassurer, plus je la décevais. Je lui devais donc bien des choses, à commencer par beaucoup de respect et de nombreuses excuses.

— Ça marche normalement assez bien, avec les dames, l'humilité...

— Écoute, ce n'était plus de l'humilité, là, c'était du désespoir. J'ai donc sonné chez elle, plutôt anxieux, et ai eu un véritable choc quand elle m'a répondu. Elle portait en effet un vieux survêtement taché de peinture! Ses cheveux étaient noués en un vague chignon et retombaient en mèches molles autour de son visage et dans ses yeux. Elle avait une mine terrible! Zéro maquillage, des chaussettes trouées, et ce survêtement difforme qui cachait ses courbes délicieuses. Je me suis immédiatement inquiété et lui ai demandé ce qui n'allait pas. Toutefois, avant même qu'elle ne m'ait répondu, j'ai ressenti dans mon pantalon le premier véritable et solide tressaillement depuis des mois. «C'est impossible!», me suis-je dit. «Elle a l'air d'un épouvantail, attifée de la sorte!» Et pourtant, c'était bien vrai! J'ai jeté un coup d'œil discret à mon pantalon et en suis resté coi de surprise. Ma queue brandie était tellement rigide qu'elle formait une petite tente sous mon pantalon! Ève a alors suivi mon regard et a écarquillé les yeux, stupéfaite. Ce spectacle l'a décidée à me laisser entrer chez elle, car elle s'inquiétait de l'effet que pourrait avoir cette vision sur son voisinage.

Mais je la sentais encore sceptique. Elle devait se dire qu'à tout moment, mon mât allait s'écrouler, m'humiliant une fois de plus. Elle m'a donc fait entrer et s'est retournée pour se diriger vers la cuisine, afin de m'apporter une bière. C'est alors que j'ai vu, à travers un trou dans son pantalon, qu'elle portait une de ces horribles culottes de coton rose dont nous nous moquions tous deux autrefois! Lâche et décolorée, elle dépassait même du survêtement. À cette vue monstrueuse, ma queue s'est encore plus dressée et s'est allongée d'un bon centimètre. Mais que se passait-il donc? Un spectacle aussi ridicule me faisait bander, à présent? C'était vraiment le monde à l'envers! Ève est revenue peu après avec une bière et a observé mon entrejambe, incrédule. Mais elle s'est contentée de me sourire, ne voulant pas ajouter à ma déception imminente.

De mon côté, je n'avais plus qu'une idée en tête: lui arracher ces vêtements répugnants! De crainte de voir mes espoirs s'envoler, j'ai osé lui signifier que j'avais une solide érection depuis plus de cinq minutes. Wow! Un peu plus, et je sautais de joie! Pour toute réponse, Ève a bien souligné, comme je l'avais évidemment remarqué, qu'elle ne portait pourtant rien de très aguicheur. J'ai cependant compris qu'il s'agissait de l'explication à mon problème et lui ai demandé quel genre de soutien-gorge elle portait. Elle m'a répondu en soulevant son chandail, dévoilant un soutien-gorge de sport blanc et grossier lui recouvrant entièrement la poitrine. Il était en fait si vieux qu'il était difforme et n'avait vraiment rien d'attirant. Mais ma queue a mystérieusement bondi d'un seul coup, laissant même perler une petite goutte qui m'a presque brûlé. Il y avait si longtemps!

Ève avait l'œil aiguisé. Ne pouvant plus se retenir, elle a retiré son survêtement, me montrant sa culotte rose dans toute sa laideur, puis son chandail délavé. Elle se tenait devant moi, affublée de ces affreux sous-vêtements et de ses bas troués, et je bandais. Je bandais même comme un étalon! Elle a alors baissé mon pantalon et m'a sucé. J'attendais de mon côté à chaque instant que la déconfiture arrive, mais elle ne venait pas! En se dirigeant vers le canapé, Ève m'a fait signe de la suivre. Elle a saisi sa culotte hideuse et l'a poussée sur le côté sans la retirer, afin de dégager son sexe. Je suis brutalement entré en elle d'un coup, ma queue plus dure qu'elle ne l'avait jamais été de toute ma vie. Ève m'a ensuite fait l'amour lentement, tendrement. Je l'ai aimée de toute ma verge et me suis appliqué à faire durer le plaisir aussi longtemps que possible.

Ce n'est que quand, enfin, j'ai joui que j'ai eu un moment de lucidité en m'écriant: «Ah, mais quels horribles sous-vêtements!»

Pour une
bonne cause

La porte s'ouvrit en grinçant et ma copine de toujours, Liza, fit son entrée. Elle me jaugea des pieds à la tête, m'adressa son fameux sourire et vint s'installer tout près de moi. Elle attendait manifestement que j'entame la conversation. Je savais que nous aurions tout le loisir de bavarder éventuellement de choses moins importantes, aussi m'empressai-je de sauter dans le vif du sujet. C'était d'ailleurs le but de sa visite. J'avalai ma salive et je commençai résolument mon récit :

— Tu te souviens de ma mère, quand elle disait : «Les hommes causeront ta perte, ma fille»? Eh bien, ma chère, je crois devoir dire qu'elle a encore, tant d'années plus tard, tout à fait raison. Tu ne devineras pas le pétrin dans lequel je me trouve. Moi, une femme mature, censée toujours prendre les bonnes décisions et être en mesure de juger adéquatement des faits et des conséquences. Eh bien, non! Je me suis faite avoir comme une gamine... enfin, c'est une manière de parler, une gamine n'aurait jamais pu se retrouver dans une telle situation...

— Commence par le début, si tu le veux bien. Je ne suis pas très au courant de tes dernières mésaventures, tu sais...

— C'est vrai, excuse-moi. Voilà... Mes ennuis ont commencé peu après que j'ai emménagé dans ma nouvelle demeure. Tu te souviens, l'an dernier? J'habitais un immeuble à logements dans lequel j'étais heureuse depuis plusieurs années. Je n'avais d'ailleurs jamais envisagé quitter ce magnifique appartement du vingtième étage, d'autant plus que mes voisins, Steve et Sylvie, étaient tout à fait charmants et complaisants, me permettant même de perfectionner mes aptitudes à l'exhibitionnisme.

— Tiens, tiens… Ça t'est venu comment, ça?

— Bien innocemment, en fait… Je n'avais pas muni les grandes fenêtres de ma chambre de rideaux, et mon amant du moment aimait bien me regarder danser, toutes lampes allumées. J'avais donc préparé une petite démonstration de mon savoir-faire pour lui plaire, et m'étais ensuite rendu compte que mes voisins pouvaient — et je crois bien qu'ils en avaient profité — observer nos ébats à leur guise. Un autre merveilleux avantage de l'architecture en croix de l'édifice! Cette constatation m'avait cependant rendue fière, si bien que j'ai pris un certain plaisir à leur dévoiler par la suite tout ce dont j'étais capable. Il ne m'a fallu que peu de temps pour comprendre que mes voisins me regardaient effectivement chaque fois qu'ils en avaient la chance et que cette situation m'excitait au plus haut point. Peu après, il y a eu Dave. Un solide gaillard avec une queue immense que tu aurais sûrement appréciée. Je l'ai vu pendant environ un mois, du moins jusqu'à ce que sa femme — j'ignorais, bien entendu, qu'il était marié! — me téléphone et me menace. J'ai été évidemment déçue. Dave était un amant sublime, et je commençais à m'attacher à lui. Je ne suis pas une grande sentimentale, tu le sais, mais j'aurais bien aimé passer encore quelque temps avec lui. J'aimais son côté un peu brutal et son membre immense, qui était tout à fait merveilleux. Je l'ai quitté à regret, mais le regard bien orienté vers l'avenir. Toutefois, son épouse bafouée a continué à me rendre la vie impossible… Et là, une copine, Élise, m'a trouvé la solution idéale. Tu te souviens d'elle?

— L'agente immobilière?

— Oui, c'est ça! Il était évident que j'avais besoin d'un changement de décor. Elle a donc tenté de me convaincre d'acheter une maison. Elle m'a promis de me dénicher la perle rare, adaptée à mes moyens. Et elle a très rapidement trouvé de quoi me plaire. Dès mon déménagement, j'ai aimé ma nouvelle vie de propriétaire. Mes anciens voisins me manquaient déjà, mais je me suis dit qu'il arriverait bien quelque chose d'excitant aux alentours pour ne pas me faire regretter ma décision. En attendant, le seul souvenir concret qu'il me restait de Dave consistait en une mince ceinture de cuir qu'il avait laissée chez moi par inadvertance. La même ceinture, en fait, qu'il avait utilisée, un soir, pour me fouetter tendrement. J'en gardais un souvenir intense et délicieux et ne me gênais pas pour en faire usage quand le besoin s'en faisait sentir.

Bref, le temps a filé et voilà qu'un beau jour, une camionnette verte s'est garée devant la maison et qu'un jeune homme a sonné chez moi pour m'offrir des services d'entretien de la pelouse. «Ce n'est pas ma pelouse qui a besoin d'entretien!», me suis-je dis devant la splendeur du jeunot.

— Oh! oh! quand tu dis jeunot...

— Oui, bon, il n'avait pas vingt ans. Mais laisse-moi continuer! Comme il avait l'air gentil, je lui ai permis de se mettre à la tâche.

En le voyant travailler sous le lourd soleil de juillet, je n'ai pas pu m'empêcher de surprendre ses regards furtifs dans ma direction. Il était mignon comme tout! Il rougissait en me dévisageant, tout en arborant une mine sûre de lui, que je devinais n'être qu'une façade. Je lui ai demandé s'il reviendrait toutes les semaines et lui ai proposé de le payer d'avance, ce qu'il a accepté avec joie. Une fois son travail terminé, il est entré quelques minutes, et je lui ai donné de l'argent. Après de brefs remerciements et de courtes présentations, il est parti en me faisant un petit signe de la main.

— Bon, il n'y a rien de bien méchant à ça.

— Ah, mais ce n'est pas tout. Ce soir-là, comme à mon habitude quand il fait très chaud, j'ai mis de la musique et me suis glissée lentement, toute nue, dans la piscine que j'avais fait installer dès mon arrivée dans la maison. L'eau était à une température idéale, parfaite pour rafraîchir un corps trop chaud. J'ai pataugé quelques instants, puis me suis laissée flotter sur le dos, admirant le ciel étoilé. Après quelques minutes de ce manège, mon corps s'est dirigé de lui-même vers le puissant jet du système de filtration.

Le bouillonnement était intense, aussi me suis-je laissé masser les seins, le ventre... et l'intérieur de mes jambes. Devant l'accueil chaleureux de mon corps à cette caresse inattendue, j'ai écarté les cuisses un moment tandis que le chaud tourbillon me caressait. Puis, sur une subite impulsion, je suis sortie de la piscine, me suis enroulée dans une serviette et suis partie chercher la ceinture de Dave. Une fois de plus, mon sexe est devenu moite en la touchant. Je l'ai faite glisser sur mes cuisses, le long de mon dos, sur mon ventre... Puis, en la saisissant par les extrémités, je l'ai lentement passée entre mes jambes, laissant le cuir frotter contre mon sexe gonflé.

L'obscurité régnait chez moi. J'ai donc pu m'étendre sur la chaise longue, permettant à ma main de terminer ce que la ceinture avait entrepris. Au bout de quelques minutes, j'ai joui en silence en pensant à Dave, à mes anciens voisins, au jeune homme de l'après-midi... Et soudain, j'ai entendu une branche craquer. L'oreille attentive, j'ai perçu, venant de la cour arrière voisine, de petits rires, suivis de chuchotements incompréhensibles. M'avait-on vue? De qui s'agissait-il? La curiosité me dévorait. Je me suis donc enveloppée de ma serviette et me suis approchée à pas feutrés de la clôture.

Un couple y était étendu sur l'herbe, se bécotant en riant. Je les distinguais vaguement dans la pénombre. De toute évidence, ces deux amoureux tentaient d'être silencieux, sans grand succès cependant. Je ne pouvais pas voir les traits de leur visage, seulement leur silhouette. Ils m'ont paru jeunes, des adolescents, peut-être. Le garçon semblait entreprenant sans que sa compagne tente de le retenir, laissant paraître sa nervosité à coups de petits rires étouffés. Elle lui permettait de flatter sa jeune poitrine, malgré son manque de douceur. Mais quand il a essayé d'insérer une main dans son short, elle s'est relevé d'un bond et s'est exclamée, avant de s'enfuir : «Pas ça, Jé! Tu avais promis!»

Jé... était-ce le même Jérémie qui était venu chez moi le même après-midi? Sans doute. Oh, le pauvre! Être si mignon et ne pas arriver à ses fins... «Il devrait choisir des petites amies plus vieilles ou plus dégourdies!», me suis-je dit. Comme je ne voulais cependant pas qu'il sache que je l'espionnais, je suis retournée à l'intérieur sans faire de bruit, puis me suis préparée un verre que j'ai pris devant la télé avant de m'endormir.

• • •

Liza était accrochée à mes lèvres. Elle me connaissait suffisamment pour savoir que je ne la ferais pas languir si le résultat n'en valait pas la peine. Elle avait même retiré sa veste et ses chaussures, afin de pouvoir écouter mon récit plus attentivement. Je continuai donc avec plaisir :

— Le lendemain, la température a été aussi étouffante que la veille. Je n'ai pas eu le courage de m'habiller de la journée, me contentant de rester en maillot de bain. Je n'ai pas fait grand-chose, d'ailleurs, et ai opté pour une activité peu éreintante, à savoir me prélasser au soleil en lisant un bon livre entre deux baignades. L'investissement de la piscine s'avérait ainsi déjà rentable...

J'étais toute à ce farniente quand j'ai aperçu, à la fin de la matinée, mon voisin depuis la cour arrière. C'était bien le jeune homme qui était venu s'occuper de ma pelouse la veille et qui avait connu un revers désagréable en soirée. Il trimait dur, arrachant les mauvaises herbes, taillant la haie ici et là. J'ai soudain eu pitié de lui, à le voir suer si abondamment. Aussi, me suis-je approchée de la clôture séparant nos deux propriétés et l'ai-je interpellé afin de l'inviter à venir se baigner. Ce à quoi il a répondu en m'adressant un large sourire. En m'éloignant, j'ai songé avec amusement à la teinte écarlate de son visage quand il avait accepté mon invitation. Était-ce moi qui lui faisais cet effet-là ou la chaleur? «Peut-être un peu des deux!», ai-je pensé sur le coup.

Il est finalement arrivé à la fin de l'après-midi, une serviette de bain sur l'épaule et vêtu d'un short ample. Il m'a tout d'abord saluée poliment, indécis. Je lui ai fait signe de prendre ses aises et l'ai regardé plonger sans se faire prier. Il est resté sous l'eau un bon moment, semblant savourer ce rafraîchissement bienfaisant, puis en est sorti.

Il était vraiment adorable. Déjà très grand, il était un peu mince, mais ses muscles semblaient bien fermes et décidés à prendre éventuellement plus d'ampleur. Sa peau était lisse et bronzée, d'une belle teinte dorée. Ses traits étaient fins sans être efféminés. Il serait sans doute remarquablement séduisant, une fois devenu mature. Au fait, quel âge pouvait-il bien avoir?

Je tentais de deviner, mais j'ai plutôt choisi de lui poser carrément la question. «Euh… dix-neuf ans», m'a-t-il répondu en rougissant de nouveau.

— Quel âge parfait! s'exclama Liza. On croirait rêver!

— Et il avait vraiment de quoi faire rêver une fille, crois-moi! Mais poursuivons. Je lui ai offert une bière, qu'il a acceptée avec joie. À mon retour de la cuisine, il était assis complètement au bout de sa chaise, sa serviette chiffonnée posée sur son ventre. Je lui ai tendu une bouteille et ai pris une bonne gorgée de la mienne, avant de sauter à mon tour dans l'eau délicieuse. Une fois rafraîchie, je me suis empressée de le rejoindre et de m'installer confortablement près de lui, en poussant un petit sourire de contentement. Puis, j'ai poursuivi la conversation.

— Tu es toujours aux études?

Jérémie a mis un certain temps à répondre. Comme il portait des verres fumés, je ne pouvais bien distinguer son regard, mais je devinais que ce dernier était braqué sur la partie supérieure de mon maillot de bain. Semblant sortir d'un rêve éveillé, mon jeune admirateur a chiffonné davantage la serviette recouvrant son ventre et a bredouillé:

— Euh… non. Bof! J'y retournerai peut-être un jour, mais pour le moment, j'ai plutôt envie de travailler. Ma mère n'est pas d'accord, d'ailleurs…

— As-tu une petite amie?

— J'en avais une jusqu'à hier soir. Il s'est passé quelque chose et… elle n'a pas apprécié.

J'ai décidé de ne pas insister. Il ne se confierait sûrement pas à moi, car il me connaissait à peine. Mais je brûlais malgré tout de curiosité.

— Tu en trouveras bien une autre, va. Un beau garçon comme toi…

Je l'ai vu rougir sous son bronzage, mais il est tout de même parvenu à sourire.

— Oui, sûrement. Et je m'habituerai bien un jour à ce que ça finisse toujours de la même façon. Je dois être trop impatient, si vous voyez ce que je veux dire…

— Je ne veux pas te décourager, mais ça ne s'améliore pas nécessairement avec l'âge…

— Et vous, vous êtes mariée?

— Non, et tutoie-moi, s'il te plaît. Je ne suis pas beaucoup plus âgée que toi, tu sais… Non, je ne suis pas mariée, et je ne me crois pas près de l'être. Ces temps-ci, c'est plutôt tranquille, de ce côté-là.

— Ouais… je comprends.

Après plusieurs minutes de silence et quelques gorgées de bière, Jérémie a pris congé en me remerciant pour tout. Je l'ai regardé partir en lui lançant un «N'importe quand, ne te gêne pas!» amical. Je ne pouvais m'empêcher d'admirer son corps juvénile, ces longs membres qui prendraient toute leur maturité d'ici quelques années. J'ai fait un effort pour me souvenir de mes petits copains lorsque j'avais son âge, et ai eu de la peine à réprimer un frisson. Ah! Si j'avais pu, à ce moment-là, réaliser la chance que j'avais! Rien n'était bien compliqué, alors. Et c'était l'époque des grandes découvertes et des révélations exaltantes, aussi bien physiques qu'émotives. Comme les premiers attouchements derrière un buisson. Ou la première fois qu'on réalise, en tant que femme, le pouvoir presque illimité qu'on détient sur les hommes. Et puis, les dangers, les interdits, les potins des compagnons de classe... Comme c'était le bon temps!

Jérémie devait être en train de vivre cette période, à laquelle il tentait d'affirmer une sexualité exigeante et impétueuse. Mais il ne semblait pas obtenir autant de succès qu'il le souhaitait. Peut-être pourrais-je lui venir en aide en lui prodiguant quelques sages conseils? À son âge, il était temps! Le pauvre, il était déjà en train de manquer le meilleur!

— À qui le dis-tu! Quand on connaît la durée moyenne de la vie sexuelle d'un homme, il ne faut rien en gaspiller!

— Donc, le vendredi suivant était plus frais que les journées précédentes. J'en ai profité, vers la fin de la soirée, pour aller marcher dans le voisinage. J'appréciais le calme des petites rues bien entretenues, la sérénité apparente des lieux. Je respirais le doux parfum des multiples fleurs et bosquets au son des criquets et de la cigale. En tournant au coin d'une rue, j'ai aperçu une camionnette garée que j'ai reconnue à l'équipement de jardinage qui se trouvait dans la benne arrière. L'habitacle du véhicule était occupé par un garçon que j'ai deviné être Jérémie, ainsi qu'une jeune fille. Je me suis aussitôt réfugiée à l'ombre d'un arbre et j'ai attendu.

Je pouvais voir les silhouettes, découpées dans l'éclairage des réverbères, du jeune couple s'embrassant avec ce qui me sembla un abandon charmant. Jérémie entourait les épaules de la demoiselle, qui paraissait — du moins à cette distance — assez consentante. Elle a bientôt retiré sa veste et j'ai souri, me disant que les choses se présentaient bien pour mon jeune ami. Je les ai observés en silence pendant quelques minutes, jusqu'à ce que la fille se dégage soudainement, remette sa veste à toute allure, ouvre la portière et lance au visage de Jérémie :

— C'est notre première soirée ensemble, et tu veux déjà me déshabiller ! Si je te laissais faire, qu'est-ce que ce serait dans une semaine ? Eh bien, tu ne le sauras jamais !

Sur ces mots, elle s'est enfuie d'un pas rapide, affichant un air plus fâché que blessé. Je l'ai regardée s'éloigner, puis suis sortie de ma cachette, reprenant ma balade nocturne, pour que Jérémie ne se doute pas que j'avais assisté à sa déconfiture. Devant la camionnette qui n'avait toujours pas démarré, j'ai fait mine d'hésiter avant de m'approcher et de la contourner. Puis, je me suis rendue près de la portière du chauffeur.

Jérémie fumait une cigarette derrière le volant, immobile, et semblait ne rien comprendre à ce qui venait de se produire. Peut-être était-il complètement découragé, qui sait ? En me voyant surgir, il m'a fait un petit salut de la main. J'en ai profité pour entamer la conversation :

— En voilà une qui n'avait pas l'air de bonne humeur...

— Oh ! Une de plus...

— Tu ne sembles pas dans ton assiette. Tu veux en parler ? On pourrait aller prendre une bière au café du coin...

— Une bière me ferait sûrement beaucoup de bien, tu as raison ! Monte !

J'ai pris place dans sa vieille camionnette et l'ai laissé me conduire à un petit bar, deux rues plus loin. Arrivés là-bas, nous avons commandé un pichet, qu'il s'est empressé de payer avant que j'aie pu protester. J'ai alors tenté de le faire parler. Il m'a expliqué que c'était toujours la même chose. Que chaque fois qu'il rencontrait une fille qu'il aimait bien et qu'elle acceptait de sortir avec lui, il gâchait tout.

--Je veux toujours aller trop loin, trop vite! Je ne le fais pas exprès, c'est seulement que...

J'ai essayé de lui faire comprendre que c'était naturel pour un garçon de son âge. Qu'il devrait peut-être tenter sa chance avec des filles un peu plus âgées. Il a alors littéralement explosé:

— Mais je suis trop jeune pour les filles qu'il me faudrait! Qu'est-ce qu'elles veulent, à la fin? Elles te laissent croire que tu leur plais, mais quand tu fais un geste, vlan! La porte se referme!

J'ai tenté de lui faire admettre qu'il avait déjà une certaine expérience de ce genre de revers... et figure-toi que c'est ainsi que j'ai appris qu'il n'avait jamais...

— Jamais quoi?

— Jamais fait l'amour à une femme!

— Tu blagues... à dix-neuf ans? C'est un vrai miracle! Trop beau pour être vrai! Dis-moi, comment as-tu fait pour ne pas lui sauter dessus?

— Très drôle! J'étais surprise, oui, mais n'ai rien laissé paraître. Il m'a expliqué que tout récemment encore, il était trop timide pour sortir avec des filles, mais que maintenant, il voulait reprendre le temps perdu. Il réalisait bien, aussi, que c'était la première expérience qui était à la fois la plus merveilleuse, la plus délicate et la plus importante...

J'ai préféré changer de sujet, de crainte, comme tu le dis si bien, de vouloir lui sauter dessus. En vérité, plus j'y pensais, plus son aveu me faisait de l'effet. Il n'avait jamais fait l'amour avec une femme, tu t'imagines? Et moi qui croyais les jeunes d'aujourd'hui plus précoces... Comme quoi, il y a des exceptions en toute chose. Mais je me sentais l'âme un peu trop généreuse pour ne pas relever un tel défi. Je me suis tout de suite dit: «Et si je lui offrais de l'initier aux joies de la sexualité?» Après tout, j'étais libre, et ça pourrait être amusant. Sans compter les avantages qu'on en retirerait, tous les deux! L'idée était trop intéressante pour que je ne lui accorde pas de réflexion. Mais je ferais ça une fois que je serais seule chez moi, à tête reposée.

— Tu as fini par succomber, n'est-ce pas?

— Comme tu es impatiente! Nous avons donc continué à bavarder de tout et de rien jusqu'à ce que, quelques heures plus tard, Jérémie me raccompagne à la maison. En le quittant, j'avais presque décidé ce que j'allais faire par la suite. Mais comme je préférais ne pas trop dévoiler mes intentions, je me suis contentée de déposer un baiser chaste sur sa joue avant de descendre de sa camionnette. Puis, juste avant qu'il ne redémarre, il m'a confirmé qu'il serait chez moi le lendemain, comme prévu, pour s'occuper de mon jardin.

Cette nuit-là, j'ai mis la ceinture de Dave de côté et me suis concentrée sur la tâche à accomplir. Quelle serait la meilleure façon de procéder? Je ne doutais pas le moins du monde que je lui plaisais. En fait, je n'ai jamais vraiment sous-estimé mes charmes, alors je n'ai pas réfléchi deux secondes à ça. La nature m'a choyée et je me suis toujours appliquée, du mieux possible, à maintenir ces avantages. De plus, à en croire mon premier instinct lorsque j'avais vu la serviette chiffonnée de ma proie au bord de la piscine, — et je me trompe rarement à ce sujet, tu le sais — je l'attirais visiblement. Quel jeune homme resterait de toute manière insensible à la séduction et à la volupté d'une femme comme moi, trentenaire ou pas?

— Peu ont réussi jusqu'à présent, j'en sais quelque chose! s'exclama ma copine.

— Exactement! Et je n'avais pas du tout l'intention de voir la tendance changer! J'avais cependant plusieurs choix. Je pouvais toujours, comme dans tous les mauvais films pornos, l'attirer à l'intérieur sous un prétexte quelconque, avant de lui dévoiler mes appâts. Ou alors, je pouvais être plus subtile et lui laisser doucement sous-entendre mes intentions. Mais cela prendrait plus de temps, et il était dommage de lui faire perdre une seconde de plus. J'ai donc opté pour la première approche, la plus directe. Aussi prévisible était-elle, elle avait toujours porté fruit et serait peut-être encore plus mémorable pour un jeune homme tel que Jérémie.

— Et pour toi, aussi, il faut le dire!

— D'accord, pour moi aussi, c'est vrai. J'ai ainsi passé la matinée suivante à fignoler mon scénario. Beaucoup de jeunes gens, à mon époque, fantasmaient sur une femme plus âgée qu'eux. Si tel était le cas de Jé, je lui en donnerais pour son argent. J'ai par contre mis toutes les chances de mon côté. J'ai choisi mon bikini argenté, celui qui recouvre à peine ma poitrine. J'ai pris soin de m'ébouriffer les cheveux, puis ai retenu ma longue crinière blonde avec un peigne lâche. Je me suis parfumée légèrement et j'ai chaussé des sandales dont les talons faisaient paraître mes jambes plus élancées. Je me suis ensuite maquillée légèrement, en m'efforçant de me rajeunir afin de ne pas trop l'intimider. Finalement prête, je me suis installée sur ma chaise longue, et après avoir mis des lunettes fumées, je me suis plongée dans un roman.

— Le pauvre. Tu y avais mis le paquet...

— Ha! Ha! Ha! Oui, et j'ai pu juger très rapidement du succès de mes préparatifs. Jérémie s'est présenté peu avant midi, et quand il m'a aperçu, il a eu de la peine à avaler sa salive durant quelques précieuses secondes. C'était vraiment beau à voir! En feignant de l'ignorer, je l'ai laissé faire son travail, m'assurant de faire régulièrement un saut dans la piscine. Comme cela, il pouvait admirer mon corps presque nu. Jérémie était effectivement, de toute évidence, ébloui et son travail s'en ressentait. Quand il a terminé de tondre la pelouse, je lui ai demandé s'il avait mangé. Il a semblé apprécier cette délicate attention et je suis partie lui préparer un sandwich, que je lui ai apporté accompagné d'une bière bien froide. Puis, il a repris son travail, aussi peu concentré qu'avant sa pause. À l'abri de mes lunettes, je pouvais en effet très bien voir qu'il me regardait chaque fois qu'il en avait l'occasion. Mon plan semblait donc fonctionner à merveille!

Finalement, quand il a terminé la taille des arbustes, je lui ai proposé une baignade, ce qu'il a accepté avec joie. Après avoir retiré son jean, sous lequel il portait un short de bain, il s'est élancé dans l'eau invitante. Je l'ai laissé s'ébrouer pendant quelques minutes et me suis dirigée vers la piscine de ma démarche la plus langoureuse. Jérémie m'observait ouvertement. Le pauvre avait l'air de ne plus du tout savoir quoi penser ni faire. Je me suis mouillée lentement comme si je tentais d'harmoniser ma peau à la température de l'eau. Une fois immergée, j'ai fait quelques longueurs avant d'aller rejoindre mon invité au bord de la piscine. En passant derrière lui, j'ai nonchalamment laissé mes seins frôler son dos bronzé et ma cuisse glisser le long de ses fesses, feignant un accident. Il a sursauté comme si on l'avait piqué, mais est resté immobile. Je l'ai ensuite abandonné là, me contentant de traverser la piscine de nouveau et de retourner m'allonger. Et c'est là que je suis passée à l'attaque en disant:

— Tiens, je voulais te demander... J'ai quelques boîtes dans un placard que j'aimerais bien monter dans ma chambre, mais elles sont très lourdes. Tu pourrais m'aider?

S'il n'avait pas saisi ce que je lui proposais vraiment, il aurait été soit bouché, soit indifférent à ma personne. Mais à mon grand plaisir, il a répondu qu'il serait heureux de m'aider, un sourire éclairant son visage. Il a regardé furtivement entre ses jambes puis, satisfait de l'état des choses, il est sorti de la piscine, s'est séché sommairement et m'a signifié qu'il était prêt. «Pauvre petit, tu ne sais pas ce qui t'attend!», me suis-je dit en souriant à mon tour.

— Je peux très bien imaginer l'expression de ton visage... Je l'ai déjà vue dans de telles situations, lorsque tu t'en prends à une pauvre victime sans défense!

— Sans défense, peut-être, mais pas sans ressources! Je l'ai emmené dans la pièce qui me servait de bureau et lui ai montré deux grosses boîtes sur la tablette supérieure du placard. Il en a prise une et a attendu mes instructions. En passant devant lui, je me suis rendue jusqu'à l'escalier, que j'ai pris soin de gravir lentement, offrant à ses jeunes yeux la meilleure vue possible sur le mouvement de mes hanches. Arrivée à l'étage supérieur, je me suis dirigée d'un pas lent vers ma chambre. Je sentais le regard de Jérémie sur mon corps et en frissonnais d'anticipation. Je me suis sur place emparée d'une chaise, que j'ai disposée devant le placard, dont la porte était maintenant ouverte, et ai grimpé dessus afin de dégager l'espace requis pour y déposer la boîte. En me retournant pour la retirer des mains du jeune homme, je me suis assurée d'incliner le haut de mon corps de manière à lui en mettre plein la vue. Sa pomme d'Adam s'est effectivement soulevée lentement, comme si elle menaçait de couper sa respiration déjà laborieuse. Puis, en m'orientant une dernière fois vers le placard pour me débarrasser de mon fardeau, j'ai arqué le dos, pour bien faire ressortir mes fesses, qui lui ont effleuré le menton. Et là, je lui ai donné le coup de grâce en lui demandant de m'aider à descendre...

En m'appuyant sur ses épaules, je me suis laissée glisser le long de son corps et me suis comme par magie retrouvée dans ses bras. Ce contact tant attendu m'a procuré une agréable bouffée de chaleur. Toutefois, comme Jérémie semblait paralysé face à cette situation imprévue, je lui ai doucement saisi les mains et les ai lentement baladées le long de mon corps, avant de les déposer sur mes seins impertinents. Il en tremblait presque, le pauvre! J'ai guidé ses doigts vers l'encolure de mon maillot de bain, qui n'était retenue que par une petite boucle, et leur ai fait accomplir les gestes nécessaires pour la défaire. Ma poitrine s'est alors dégagée, heureuse de se libérer de ces liens pourtant si frêles. À partir de là, je n'ai plus eu à contrôler ses mains. De lui-même, il a délicatement touché mes seins, osant à peine les effleurer. Il semblait attendre un geste de ma part, une preuve supplémentaire que mes avances étaient sérieuses. Je l'ai donc embrassé tendrement, chatouillant sa bouche chaude de ma langue audacieuse. Et pour m'assurer qu'il avait bien compris, je lui ai fait baisser la minuscule culotte de mon maillot et ai enfoui une cuisse entre ses longues jambes.

— Tu ne lui as laissé aucune chance, quoi! s'exclama Liza, feignant l'indignation.

— Aucune, effectivement! Et son érection m'a fait un immense plaisir. La surprise ne lui avait pas fait perdre tous ses moyens, au contraire. Je lui ai donc ordonné de se déshabiller immédiatement. Il est tout d'abord resté immobile tandis que je me dirigeais vers l'immense lit, sur lequel je me suis étendue dans une pose invitante. Voyant cela, il s'est enfin décidé et a retiré ses vêtements presque frénétiquement. Devant tant d'urgence, je me suis approchée de lui et me suis faite rassurante, lui indiquant que je ne changerais pas d'idée, qu'il n'avait pas à se dépêcher à ce point. Il était maintenant debout devant moi, complètement nu, et son érection était des plus satisfaisantes. Il était vraiment très beau, ainsi! Je me suis donc à mon tour forcée à me calmer un peu, me disant qu'il aurait fort probablement de la peine à se retenir la première fois. Mais je ne pouvais pas le laisser planté là trop longtemps non plus! Il avait l'air si vulnérable et indécis, ne voulant faire aucun mouvement déplacé, de crainte de voir s'évanouir de si belles promesses. Je l'ai donc fait approcher du lit et, en m'emparant de ses petites fesses bien rondes, j'ai embrassé doucement sa queue avant de la prendre entièrement dans ma bouche.

— Ah! Des petites fesses de jeune homme... quel délice.

Ma copine avait les yeux rêveurs.

— Mais voilà, je n'osais pas l'attaquer avec trop de vigueur, préférant étirer le plus longtemps possible un épisode qui serait, malgré toute sa bonne volonté, plutôt bref, je le savais par avance. Mais son sexe avait bon goût et ma bouche a cessé de m'obéir, effectuant avec vigueur les gestes auxquels elle était habituée et qu'elle appréciait tant.

J'ai ainsi bien vite enfoui son pénis plus loin dans ma gorge, exerçant une légère succion à l'aller et au retour, comblée de la fermeté de ce membre. Et au bout de quelques secondes, ce qui devait arriver arriva. Jérémie a inondé ma bouche de sa semence chaude et salée. Sa respiration haletante m'a fait relever la tête, et j'ai vu qu'il affichait une mine gênée. Je l'ai donc attiré vers moi sur le lit et ai tenté de le réconforter, lui assurant que j'étais loin d'en avoir terminé avec lui... Je l'ai embrassé de nouveau tendrement et l'ai forcé à s'étendre près de moi. Puis, je l'ai gentiment poussé sur le côté pour avoir les mains libres. Et là, ma chère Liza, tu vas être fière de moi...

— Qu'est-ce que tu as encore fait?

— Je lui offert le plus beau cadeau qui soit. Un cadeau dont il pourra profiter toute sa vie. Je l'ai regardé tendrement et lui ai murmuré:

— Je vais te donner une petite leçon intitulée «le plaisir de la femme». Sois attentif...

Liza me regarda soudain avec un profond respect. Je venais

encore une fois de la surprendre par mon ingéniosité et mon savoir-faire. Mais j'étais loin d'en avoir fini avec mon histoire.

— J'ai laissé courir mes mains sur mon corps satiné, taquinant bien chaque mamelon pour le faire durcir. J'ai ensuite demandé à Jérémie d'une petite voix, presque dans un murmure, de les caresser avec sa langue, de les sucer doucement, tout doucement. Puis, j'ai écarté les cuisses et ai dégagé mon sexe afin de l'agacer à son tour. J'ai alors interrompu les caresses de Jérémie, l'invitant à bien examiner les mouvements de mes doigts. Il s'est exécuté, à la fois bon élève et fasciné par ce qu'il voyait. Il ne quittait pas ma main des yeux, étudiant chaque toucher, chaque effleurement. Quand mon doigt a disparu à l'intérieur, il a voulu participer. Je l'ai laissé faire, en lui demandant simplement d'être délicat pour le moment. Sa main copiait à merveille ce que la mienne venait de lui enseigner. Il s'appliquait à frotter doucement la chair sensible, un air de concentration intense sur le visage. Lorsque je l'ai enfin sentie bien dressée, j'ai indiqué à mon jeune amant la minuscule boule de chair au centre de mon sexe, en lui expliquant que c'était ça qui pourrait, avec les caresses adéquates, me faire crier de plaisir. Et je l'ai guidé avec toute la patience requise en lui disant:

«Pose ta langue dessus, tout doucement. Laisse couler ta salive, c'est encore meilleur. C'est ça. Fais-en le tour délicatement, suce-moi un peu, lèche bien tout autour. C'est si bon, tu sais! Maintenant, glisse un doigt en moi. Eh, tout doux! Entre et sors lentement, puis de plus en plus vite. Un deuxième doigt... Ah oui, voilà, c'est ça! Touche-moi, maintenant. Reprends à présent ce que tu faisais un peu plus tôt, mais plus vite. Pas plus fort, juste plus rapidement. Comme ça, oui, c'est bon...»

Jérémie était vraiment doué. Il s'activait sur moi comme un pro. J'ai donc profité de ses caresses un bon moment, tentant l'impossible afin de retarder l'orgasme. Mais il mettait tant

d'application à sa tâche, que je n'ai pas pu contrôler ma jouissance, qui m'a secouée avec une force inouïe pendant ce qui m'a
semblé une éternité. Le pauvre me regardait de son côté d'un air
inquiet, ne sachant pas s'il avait fait quelque chose de mal. J'ai
donc pris le temps de reprendre mon souffle, lui ai souri et l'ai
attirai de nouveau contre moi, afin de lui faire sentir à quel point
j'avais apprécié son geste.

— Chanceuse... lança mon amie, un brin de jalousie dans la
voix.

— Attends, ce n'est pas tout! Je me suis en effet rendu compte
que son corps avait déjà récupéré, sa queue bien dressée pressant contre mon ventre encore secoué de spasmes.

— Un autre merveilleux exemple de ce qu'un jeune corps a de
plus à offrir!

— Un parmi tant d'autres, oui! Pour récompenser Jérémie, je
l'ai fait s'étendre sur le dos, ai embrassé son doux visage et son
corps si adorable. Je ne me suis cette fois-ci pas trop attardée
sur son sexe brandi, car je comptais maintenant lui offrir ce qu'il
attendait depuis si longtemps.

Je me suis donc accroupie au-dessus de lui et l'ai fait pénétrer au creux de mon corps. Il a poussé un petit cri et a tenté de
s'activer en moi. Je l'ai cependant retenu et me suis contentée de
me soulever légèrement, ne laissant que le bout arrondi de son
sexe en moi. Il a semblé comprendre mon désir et s'est laissé
faire sans rien dire. Je suis alors descendue doucement sur lui,
un centimètre à la fois, comprimant les muscles de mon vagin
pour l'enserrer amoureusement. J'ai ensuite accéléré un peu
mon va-et-vient, afin de lui donner un avant-goût de ce qui l'attendait, et il a à nouveau crié, une expression de surprise sur le
visage. Je l'ai massé ainsi pendant quelques instants, puis me
suis relevée. Je lui ai alors demandé de s'agenouiller devant moi,
ce à quoi il n'a opposé aucune résistance. Après lui avoir tourné

le dos et m'être installée sur les mains et les genoux, je lui ai présenté mon sexe béant, pour qu'il puisse entrer en moi. Il a donc singé mes gestes, n'entrant tout d'abord que très lentement. Puis, n'y tenant plus, il m'a saisie par les hanches, a oublié toute retenue et s'est enfoncé violemment en moi, se retirant à l'ultime instant pour éclabousser mes fesses de son jet. Jérémie est aussitôt après retombé mollement sur les oreillers, les yeux grands ouverts comme en état de choc, un sourire étirant peu à peu ses joues presque totalement imberbes.

Après m'être blottie au creux de son épaule, je lui ai demandé si ça s'était passé comme il se l'imaginait. Ébahi, il m'a serrée dans ses bras en s'exclamant :

— Cent fois mieux encore !

Sa respiration a ralenti peu à peu, jusqu'à ce qu'il s'endorme tout contre moi.

• • •

Liza était verte de jalousie. Elle tenta de remettre de l'ordre dans ses idées, de se souvenir de la raison exacte pour laquelle elle était venue me voir... Mais elle préféra quand même écouter la suite de mon histoire.

— Cette première fois avait été une véritable révélation pour mon jeune ami. Il avait cependant du mal à croire ce qui venait de lui arriver. Il semblait s'attendre à ce que je l'éconduise brutalement lorsqu'il essaierait à nouveau de s'approcher, ce qui mettrait du même coup fin à un apprentissage qui ne demandait qu'à se perfectionner et à s'épanouir. Il est resté à distance pendant plusieurs jours. Peut-être pensait-il que notre aventure n'était qu'un prétexte pour qu'il poursuive ses propres expériences de son côté ? Ça aurait pu être le cas, évidemment. Mais Jérémie avait un je-ne-sais-quoi qui me donnait envie de le revoir, ne serait-ce que pour vérifier mes talents d'instructrice.

Je l'ai rencontré par hasard dans la rue, quatre jours après nos ébats. En m'apercevant, il a rougi comme une écrevisse, incertain de l'attitude à adopter. Pour le rassurer, je lui ai adressé mon sourire le plus ravageur et ai déposé un baiser sur sa joue, avant de lui demander pourquoi il ne venait plus me voir. Il m'a répondu qu'il craignait de s'imposer.

— Tu as sûrement d'autres amis, quelque part, m'a-t-il dit... Je ne devais être qu'une aventure d'un soir. Peut-être même as-tu eu pitié de moi ou quelque chose du genre, non ?

Je lui ai alors fait comprendre, une bonne fois pour toutes, que tout ce que je faisais, je le faisais parce que j'en avais envie. J'ai insisté sur le fait que notre dernière rencontre avait été aussi agréable pour moi que pour lui et ai ajouté qu'il serait temps qu'il revienne me voir. Je l'ai donc invité à passer chez moi un peu plus tard cette journée-là, ce qu'il a accepté avec joie. Il s'est présenté à ma porte au début de la soirée. J'ai préparé des hamburgers, et nous avons bavardé. La nuit étant chaude et maintenant sombre, je lui ai proposé de faire une petite baignade. Après m'être déshabillée devant lui, j'ai sauté dans la piscine. Jérémie est venu me rejoindre sans tarder, et je me suis pressée tout contre lui, enlaçant sa taille de mes jambes. Je sentais son pénis bien dur et me suis laissée flotter sur le dos, mon sexe bien appuyé contre le sien. Puis, je me suis dirigée vers le puissant jet d'eau, que j'ai accueilli entre mes cuisses. Jé s'est alors approché et a complété ce massage de sa main habile. Il n'avait rien oublié de mes enseignements, c'était génial !

Il m'a ensuite contournée pour se placer devant moi et m'a pénétrée avec vigueur. Nous flottions doucement, ancrés l'un à l'autre. Je n'avais qu'à me retenir au bord de la piscine et à me laisser flotter sur lui, nos corps aussi légers que des plumes. Après quelques minutes, Jérémie s'est dégagé et m'a entraînée hors de la piscine. Après s'être étendu de côté sur l'herbe fraîche, il m'a attirée tout contre lui et s'est de nouveau inséré en moi. Ses gestes semblaient déjà plus sûrs, plus fermes que lors de notre première relation. Il m'a fait l'amour de lui-même, comme un grand garçon, sans que j'aie à intervenir. Et c'était délicieux, crois-moi! Il était derrière moi, me labourant le ventre, tandis que sa main s'égarait sur mon sexe moite, à la recherche de mon point le plus sensible. J'ai finalement joui avant lui, ce qu'il a pris comme un signal pour jouir à son tour.

Il est ensuite resté près de moi un petit moment, puis nous nous sommes quittés sur un baiser, en nous promettant de nous revoir bientôt.

Et l'attente n'a pas été longue. Jé s'était en effet découvert un appétit insatiable, venant maintenant chez moi à toute heure du jour ou de la nuit. Comme il me plaisait, je lui ouvrais toujours la porte. Il semblait si avide d'approfondir ses connaissances... Il faut dire que je ne lui laissais guère le choix. Chaque fois devait être différente de la précédente. Et mes leçons tout comme la pratique portaient fruit. Jérémie prenait de plus en plus de contrôle au fil des jours, réussissant à retarder son orgasme afin de me satisfaire.

Je lui ai bien sûr dévoilé d'autres façons de faire jouir une femme, en lui donnant des cours complets d'anatomie et en lui montrant les multiples possibilités d'un vibrateur ou de tout autre objet à portée de la main. Il m'a même surprise une fois, devançant la leçon prévue par une initiative que j'ai accueillie avec joie. Il était arrivé ce soir-là depuis un bon moment, et nous avions déjà partagé une bouteille d'un excellent vin qui nous avait plongés dans une douce euphorie. Comme nous étions déjà nus, il a entrepris de me masser lentement différentes parties du corps. Il a débuté avec mes tempes, dessinant de petits cercles à la lisière de mes cheveux, puis m'a délié les épaules, que j'avais tendues parce que j'avais trop travaillé dans mon jardin.

Il a ensuite massé mes seins avec volupté, les léchant et les suçant avec tant d'application que j'ai cru qu'il en connaissait les subtilités depuis toujours. Puis, après m'avoir écarté les cuisses, il m'a fait jouir avec sa main, puis avec le goulot de la bouteille de vin vide, qu'il a plusieurs fois insinué dans mon être, guettant ma réaction et observant, d'un air toujours aussi fasciné qu'au tout début, mon sexe l'accueillir avec plaisir.

Plus tard, ce soir-là, j'ai fait connaître à Jérémie la volupté du gant de fourrure. Je l'ai masturbé avec une lenteur extrême, laissant à son membre le temps de se manifester au même rythme que mes caresses, m'émerveillant de la sensation que mon outil avait sur sa peau délicate. C'était de toute beauté de voir durcir son membre si lentement! Ce pénis bien formé prenait de plus en plus d'ampleur à chaque pulsation du cœur de son propriétaire, et j'ai pris beaucoup de plaisir à le voir s'épanouir entre mes mains.

Jérémie est aussi passé maître dans l'art de me lier les pieds et les mains aux barreaux de mon lit, puis de me posséder comme s'il avait fait ça toute sa vie. Effectivement, après plusieurs tentatives au cours desquelles j'ai fait preuve d'une patience d'ange, il est devenu un expert de la chose, sachant exactement avec quelle force je souhaitais être retenue, avec quelle ardeur je désirais qu'il m'envahisse. Il me pénétrait par en avant et par-derrière, me labourant furieusement et toujours plus longuement, jusqu'à ce que je crie grâce.

De mon côté, pour le récompenser de ses nombreux efforts, je lui ai montré mes divers talents. Des danses langoureuses sur le mobilier que j'avais jadis dédiées à mes anciens voisins, jusqu'au spectacle plus élaboré au cours duquel je me masturbais devant un miroir, prouvant à mon jeune amant les multiples possibilités d'une chandelle. Je lui ai aussi dévoilé les secrets de la masturbation presque douloureuse — mais ô combien agréable — ainsi que du pseudo-viol, qu'il a trouvé sublime. La première fois que je lui ai d'ailleurs permis de me «violer», il a fallu que je m'y reprenne à quatre reprises avant de le convaincre que c'était exactement ce que je désirais. Imagine un peu, j'ai dû le forcer à me gifler avec retenue, mais à me pénétrer avec tant de force que j'ai eu de la difficulté à marcher pendant quelques jours.

Notre aventure a continué de la sorte environ trois semaines. Trois semaines intensives de sexe parfois tendre, parfois violent, toujours intense. J'ai appris à connaître Jérémie un peu mieux et ai décidé de lui faire comprendre que notre histoire ne pourrait durer éternellement. Éventuellement, il trouverait en effet une fille de son âge qu'il aimerait bien. Il devrait se montrer suffisamment patient avec elle, comme je l'avais été avec lui. Je lui ai expliqué qu'il devrait toujours respecter sa partenaire, ne jamais rien faire pour la blesser ou l'humilier, à moins qu'elle n'en fasse la demande en termes très clairs, comme je l'avais fait précédemment.

Jérémie a écouté religieusement tout ce que je lui disais. J'ai été heureuse de constater qu'il n'était nullement amoureux de moi. Cela m'avait inquiétée, au début, je l'avoue. Mais il m'a rassurée en m'affirmant qu'il ne s'attendait à rien d'autre que ce que je lui offrais en ce moment, sachant que cela finirait un jour. Toutefois, notre aventure s'est terminée encore plus rapidement que nous l'avions imaginé.

— Qu'est-ce qui a bien pu te donner envie de terminer quelque chose de si mignon? demanda Liza, perplexe et visiblement morte de jalousie.

— Ça n'a pas été par choix, crois-moi. D'ailleurs, la raison pour laquelle je t'ai demandé de venir te semblera bien évidente d'ici quelques instants. Jeudi soir dernier, nous venions d'avaler une ultime portion de mousse au chocolat. Celle-ci nous avait d'ailleurs procuré un bien immense, à la suite d'un après-midi entier d'acrobaties de toutes sortes. Nous étions tous les deux étendus, complètement nus, sur le plancher du salon, en train de regarder la table à café avec un sourire presque affectueux. Ce que nous venions de faire dessus resterait gravé dans notre mémoire un bon moment, je le savais. J'étais d'ailleurs étonnée qu'elle ait tenu le coup! Mais bon, ça avait été sublime! Donc, en voyant la pièce en désordre comme si j'avais été victime d'un cambriolage, nous n'avons pas pu nous empêcher d'avoir un fou rire.

C'est à ce moment-là que la sonnette de la porte d'entrée a retenti de manière très insistante. Après avoir été chercher une robe de chambre en courant pour me vêtir avant d'aller ouvrir, quelle n'a pas été ma surprise d'apercevoir deux agents de police, à l'uniforme impeccable et à la mine patibulaire, me présentant leurs pièces d'identité! Et ça a été encore pire quand ils ont commencé à réciter:

— Madame Dubois, vous êtes en état d'arrestation...

— Mais de quoi suis-je donc coupable?

J'ai alors vu une femme qui semblait être la mère de Jérémie les bousculer et se présenter devant moi, indignée et presque hystérique:

—Vous n'avez pas honte? Faire ça à mon fils! Mon petit garçon! Je sais ce que vous avez fait, je sais tout! Vous n'êtes qu'une putain! Vous n'avez pas honte de vous en prendre à un petit gars de dix-sept ans pour vos cochonneries?

C'était donc ça! Il m'avait menti! Et depuis ce soir fatidique, j'attends toujours la date de ma comparution au palais de justice. Or, comme tu es une bonne avocate, je me suis dit que tu pourrais m'aider... Après tout, c'était pour une bonne cause, non?

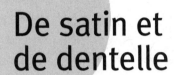

De satin et
de dentelle

Ce n'est qu'en arrivant chez lui que Mathieu trouva la culotte. Il était allé, comme tous les samedis matin, faire sa lessive à la buanderie du coin. L'endroit était désert à cette heure de la journée, aussi put-il en profiter pour lire le magazine qu'il venait tout juste de s'acheter.

Bref, c'était un samedi matin paisible de plus passé au son de la laveuse et du roulis relaxant de la sécheuse. De retour chez lui, cependant, après qu'il eut vidé le panier de vêtements qu'il ne s'était pas donné la peine de plier sur place, il la vit. Une minuscule culotte de satin rose, bordée de dentelle délicate. Elle lui semblait de petite taille. Il n'était pas expert en matière de sous-vêtements féminins, mais il pouvait très bien imaginer la petitesse des fesses qui entraient là-dedans. Et ce n'était défini- tivement pas le genre de vêtements qu'une mère aurait achetés pour sa jeune fille.

Il se dit qu'il devrait sûrement retourner à la buanderie et laisser cette culotte bien en évidence, quelque part, pour que sa propriétaire puisse la récupérer. Mais c'était une si jolie culotte! Elle risquait plutôt de se faire dérober par quelque bonhomme un peu trop solitaire. Après mûre réflexion, il décida de la garder, étant lui-même esseulé. En passant ses doigts sur le tissu satiné, il ne put s'empêcher d'envisager toutes sortes d'hypothèses. Tout à coup, une très belle fille aux longs cheveux noirs cascadant sur un dos droit et mince prit forme dans sa tête. Elle enfilait la minuscule culotte le long de ses jambes effilées et soyeuses. Cette vision lui procura une bouffée de chaleur dans l'entrejambe. Mathieu décida qu'il était grand temps que finisse la période de sécheresse dont souffrait sa vie personnelle depuis trop long-temps et que cette culotte lui rappelait avec une impertinence cuisante. Après l'avoir déposée sur un fauteuil, il se ravisa et se dit qu'il vaudrait mieux, après tout, la rapporter en passant, un matin de la semaine suivante. En attendant, il pourrait très bien la laisser traîner où bon lui semblait. Il n'y avait effectivement aucun danger qu'une présence féminine indiscrète ait la glo-rieuse idée de surgir dans son appartement!

La semaine s'écoula, finalement, sans que Mathieu ramène la culotte à la buanderie. Il s'était vite rendu compte qu'il aimait bien l'apercevoir là, trônant sur son fauteuil préféré. Comme ça, lorsqu'il rentrait chez lui, elle lui procurait l'illusion que quelqu'un l'attendait. Quelqu'un qui, peut-être, venait tout juste de la retirer en espérant son arrivée. «Quelle agréable fan-taisie!», se disait-il pour excuser son geste.

Le samedi suivant, il l'oublia complètement, habitué qu'il était de la voir. Elle était devenue un ornement familier de son appar-tement spartiate. Ce ne fut qu'en déposant ses vêtements dans la laveuse qu'il s'en souvint. «Il est trop tard, maintenant. Si je vois une femme qui a l'air de chercher quelque chose, je saurai bien quoi faire...», se dit-il sans grande conviction.

Il ne se pressa pas, ce matin-là. Il était peu probable que la dame concernée se présente, mais il resterait quand même un certain temps, au cas où. Il n'avait rien au programme, pour le moment. D'ailleurs, la plupart des gens qu'il côtoyait le trou-vaient un peu bizarre, de faire sa lessive si tôt le samedi matin, journée qui devait normalement être vouée à la grasse matinée. Mais Mathieu avait toujours été un lève-tôt. Il avait, en fait, une discipline assez marginale; aux dires de ses collègues, du moins. Les bars dont la musique était tonitruante, dans lesquels chacun s'exhibait dans l'espoir de ne pas passer la nuit seul? Très peu pour lui. Non que ses nuits étaient bien remplies, malheureusement! Il en était même à son quatorzième mois d'abstinence. Nul besoin d'ajouter qu'il s'agissait là d'un record qu'il ne s'amusait pas à crier sur tous les toits.

Sa dernière aventure avait été désastreuse. Il avait eu la malencontreuse idée de s'intéresser d'un peu trop près à l'une de ses clientes, et cela avait mal tourné. Elle avait attendu deux mois avant de lui avouer qu'elle était mariée. «Je suis encore très amoureuse de mon mari!», avait-elle ajouté. Ah bon? Il devait être trop idéaliste, car il était persuadé qu'elle n'avait pas vraiment eu le comportement d'une femme amoureuse en se donnant à lui. Enfin... c'en était terminé avec elle. Pour ce qui était des autres filles, il était trop timide. Il s'agissait d'ailleurs de son plus gros problème. Geneviève, son amie de toujours, s'amusait même à lui donner des similicours de séduction.

Ils avaient passé leur enfance et leur adolescence côte à côte. Bref, presque toute leur vie ensemble. Mathieu lui avait appris à jouer au hockey et au baseball, alors qu'elle lui retournait l'ascenseur en lui faisant rencontrer des femmes solitaires. Les résultats de ces tentatives étaient cependant tous plus désastreux les uns que les autres. Les femmes rencontrées étaient bien, pour la plupart, mais il y avait toujours quelque chose qui clochait. Mathieu ne pouvait en fait supporter qu'elles aient des attentes envers lui. Le simple fait d'aller dîner avec quelqu'un qui espérait une relation durable le rendait mal à l'aise au point qu'il en perdait tous ses moyens. Il se sentait alors coincé, se croyant obligé d'adopter une conduite particulière qui ne lui était pas naturelle. En un mot, toutes ces mises en scène étaient beaucoup trop compliquées! Il avait essayé d'expliquer ce malaise à Geneviève, mais elle avait la tête dure.

En revanche, le coup de patin de cette dernière s'était amélioré à une vitesse vertigineuse. Pas mal, pour une fille! Mathieu avait toutefois de la peine à la voir autrement qu'en garçon manqué, ce qu'elle était effectivement enfant et adolescente. Elle était pourtant jolie, mais ses aptitudes athlétiques l'emportaient sur sa féminité. Mathieu ne s'était, de toute façon, jamais attardé à ses charmes, se contentant de lui faire part de ses impressions sur ses divers petits amis. Il l'adorait en fait comme une sœur. «Ah, si je pouvais simplement rencontrer une fille comme elle! Enfin, presque comme elle...», se disait-il une nouvelle fois ce matin-là.

Il en était là dans ses réflexions, quand la sécheuse s'arrêta. Il se dépêcha d'empiler ses vêtements pêle-mêle dans son panier, vérifia qu'il n'avait rien oublié et se dirigea vers son appartement d'un pas quelque peu alourdi par ses récentes pensées.

Dès son arrivée chez lui, il se changea en vue de la pratique de baseball qui l'attendait. Geneviève devait venir le chercher d'un moment à l'autre.

● ● ●

Elle le ramena chez lui vers quatorze heures. Ils étaient tous deux affamés par l'exercice et le grand air. Mathieu lui proposa de préparer un déjeuner vite fait et d'aller le déguster dans le parc voisin.

— Tiens, je vais m'occuper de ta lessive pendant que tu prépares de quoi me nourrir, s'offrit-elle.

— Non, laisse, je ferai ça en revenant!

— Allez! J'ai déjà vu des caleçons et des bas troués, ne t'en fais pas. Je m'en occupe!

Il ne restait que les boissons fraîches à réunir. Mathieu était en train de prendre la bouteille de jus de pommes dans le frigo, quand il sentit une présence derrière lui. Geneviève se tenait devant la porte de la cuisine, un superbe soutien-gorge de satin rose pendant au bout d'un doigt, et elle le considérait d'un air moqueur:

— Tu me caches quelque chose ?

— Non, rien du tout ! Mais où as-tu trouvé ça ?

— Dans ton panier, petit cachottier ! Allez, vas-y, raconte ! Ce n'est pas maintenant que tu vas me priver de tes histoires, hein ? Elles sont bien trop rares !

— Mais je t'assure que... Attends, montre.

Il s'empara du soutien-gorge et l'examina sous toutes ses coutures.

— Arrête de faire l'idiot. À qui est-ce ?

— Un peu de patience.

Il se dirigea vers le fauteuil pour y chercher la fameuse culotte, puis se souvint qu'il l'avait déplacée quelques jours auparavant. Il revint sur ses pas, se dirigea vers son lit et se rendit vite compte qu'elle était assortie au soutien-gorge.

— C'est un peu fort, ça !

— Bon ! Si tu ne veux pas me dire ce qui se passe, invente-moi au moins une histoire !

— Eh bien, figure-toi que samedi dernier, en revenant chez moi, j'ai trouvé cette culotte dans mes affaires. J'allais la ramener à la buanderie ce matin, mais je l'ai oubliée. Et maintenant, voilà que j'ai le soutien-gorge assorti !

— Ah oui ! je vois, répliqua Geneviève d'un air sceptique.

— Je te le jure ! C'est quand même incroyable, de me retrouver avec un tel ensemble ! C'est un peu fort, comme hasard !

— En effet. Puisque tu relies ça au hasard...

Ils en restèrent là. Il n'allait tout de même pas faire des pieds et des mains pour convaincre son amie de sa bonne foi ! Elle croirait bien ce qu'elle voudrait, après tout. Et il n'allait pas lui avouer non plus qu'il avait bel et bien choisi de garder la culotte chez lui. La décision finale s'était prise sans qu'il s'en aperçoive, mercredi ou jeudi, il ne s'en souvenait plus très bien. Il regardait à ce moment-là la télé, quand sa main s'était distraitement posée sur la culotte satinée. Il s'était alors mis à imaginer la tête qu'il ferait si la belle de ses rêveries, à laquelle ce petit bout de soie rose appartenait sans doute, sonnait sans prévenir à sa porte pour la réclamer. De fil en aiguille, l'histoire s'étoffait. L'inconnue ne se contentait pas de reprendre son bien et de partir, loin de là ! Sans un mot et au rythme d'une musique inaudible, elle se déshabillait devant lui avec des gestes précis et décidés, mais chargés de sensualité. Ne portant qu'un soutien-gorge — ressemblant d'ailleurs à celui découvert dans ses affaires par Geneviève —, la belle inconnue revêtait la jolie culotte, tout en adressant à Mathieu un sourire enjôleur. Mais elle ne s'arrêtait pas là. Saisissant les côtés du sous-vêtement échancré, elle le faisait remonter sur ses hanches rondes, avant que ses doigts fuselés ne glissent sous le doux tissu et descendent toujours plus bas. Mathieu était hypnotisé par les longs ongles disparaissant dans la toison noire qu'il avait aperçue plus tôt, devinant plus qu'il ne voyait leurs mouvements sur la chair humide. Enfin, pour lui permettre d'admirer le spectacle, la belle écartait les jambes et, repoussant la culotte, exposait son sexe luisant, dont Mathieu pouvait sentir les effluves sucrés. Puis, d'un doigt habile, elle dessinait le contour de ses lèvres pleines, exerçant une pression ferme avant de glisser à l'intérieur des replis invitants.

Mathieu avait alors détaché son pantalon, le faisant tomber jusqu'à ses chevilles. Il s'était emparé de la culotte provocante, la laissant effleurer son ventre, puis ses cuisses de sa douceur satinée, tout en regardant la séductrice jouir devant lui. Sans s'en rendre compte, il s'était mis à se caresser, poursuivant ses gestes jusqu'à ce que la culotte se retrouve imbibée et qu'il sorte de son songe, pantelant et plus frustré que jamais.

Il était dès lors impensable qu'il se débarrasse de la culotte. Il l'avait lavée soigneusement, presque amoureusement. Désormais, elle ne trônerait plus sur son fauteuil favori, mais entre ses draps. Ce serait son petit secret bien à lui. Mais maintenant, avec ce soutien-gorge assorti…

Visiblement, Geneviève était encore persuadée qu'il vivait une nouvelle aventure et que sa timidité légendaire l'empêchait d'en parler. Elle se baladait à travers l'appartement, le soutien-gorge au bout des bras, virevoltant à travers les pièces, un sourire narquois bien accroché aux lèvres.

— Alors, on va manger ou non? dit-il pour finir cette discussion.

• • •

Quelques jours plus tard, après un match, Mathieu avait décidé de décliner l'invitation de Geneviève et des autres gars de l'équipe de hockey, qui poursuivaient la soirée à la discothèque. Il était déjà tard, et Mathieu avait bu son quota de bière pour un samedi soir. Évidemment, Geneviève avait lancé à la blague qu'il avait un rendez-vous secret et ne voulait pas partager la nouvelle ni les détails juteux avec ses amis. Le reste de la bande s'était aussitôt mis à le harceler de questions, jusqu'au moment où il avait réussi à s'échapper, cachant à peine son agacement. Il était donc retourné chez lui un peu éméché, passablement fâché contre Geneviève, mais pas assez fatigué pour se coucher tout de suite. Il venait de mettre de la musique et de commencer à lire quelques articles d'un magazine.

En se laissant tomber sans ménagement sur son canapé, il sentit quelque chose sous lui. Passant sa main sous ses fesses, il trouva le magnifique soutien-gorge. Dans l'état où il était, il n'en fallut pas davantage. Il le tint délicatement devant lui, essayant d'imaginer la taille et la forme des seins qui s'y sentiraient à leur aise. Il les voyait assez menus, mais fermes, les aréoles couleur chocolat au lait étirant le fin tissu. Il partit chercher la culotte, et après l'avoir placée sur le canapé près du soutien-gorge, il tenta d'imaginer le corps de la femme à qui cet ensemble soyeux conviendrait.

Dans sa tête, elle était mince, plutôt petite, aux courbes plus subtiles que prononcées. Si seulement il la connaissait! Oh, mais il la connaissait quand même un peu! Son image, du moins, se précisait. Elle devait être du genre à porter des vêtements très élégants et féminins, des talons aiguilles qui la faisaient paraître plus grande. Ses longs cheveux noirs étaient généralement remontés en un vague chignon, qu'il se ferait le plus grand plaisir de défaire, afin de libérer les longues mèches.

Ça y était, la femme de ses rêveries était à nouveau apparue devant lui, l'aguichant de ses doigts habiles suspendus aux boutons de sa robe. Allait-elle enfin se décider? Ah, tout à coup, voilà! Elle dévoilait sa gorge, puis sa poitrine enfermée dans le soutien-gorge rose, dont la couleur contrastait avec sa peau mate. La robe ajustée descendait lentement, son ventre plat s'exposait enfin jusqu'à la fine dentelle délimitant la bordure de la minuscule culotte.

Elle avait, comme il se doit, enfilé de longs bas fins qu'elle n'avait pas encore retirés. Mathieu avait, de son côté, commencé depuis un bon moment les mouvements de va-et-vient sur sa verge, maintenant aux aguets, et admirait le spectacle qui s'offrait à lui. Ses mouvements se firent de plus en plus insistants. La jeune femme, devant lui, se pinçait légèrement chaque sein à travers la mince étoffe, puis les dégageait de leur étau, avant de les offrir aux mains et à la bouche de Mathieu. Celui-ci palpait avec délice ces deux morceaux de chair, qui étaient conformes à ce qu'il avait imaginé, à savoir fermes et doux. Puis, il les embrassait, avant de lécher et sucer avidement leur pointe dressée. De longs cheveux cascadaient sur cette admirable poitrine, donnant à la femme une allure irréelle et diaphane. Elle était avec lui sur le divan, ses longues jambes repliées de chaque côté des hanches de Mathieu. Celui-ci voulait caresser cette taille fine et ces fesses minuscules, mais l'inconnue se dégageait aussitôt pour se relever dans sa posture initiale. En se retournant, elle faisait tomber ses cheveux magnifiques au creux de ses reins, permettant à Mathieu d'admirer l'arrière de son corps et d'égarer ses mains sur les fesses invitantes de la jeune femme. Ensuite, en lui refaisant face, elle se mettait à quatre pattes et s'avançait lentement vers lui d'une démarche féline. Il essayait de son côté d'enregistrer chaque détail dans sa mémoire : culotte et soutien-gorge roses, bas de soie et talons aiguilles, chevelure époustouflante, sourire ravageur... Jusqu'à ce qu'elle l'atteigne enfin et laisse ses lèvres pâles et pulpeuses prendre la relève de la main trop familière de Mathieu. Sa bouche talentueuse exerçait, sur la queue durcie, de petits pincements des lèvres, puis laissait la langue s'enrouler tout autour, avant de l'aspirer tout entière dans sa bouche. La succion était de plus en plus vigoureuse et rapide. Puis, la belle arrêtait presque subitement son manège, prenant le temps de caresser tendrement ce pénis offert. Mais dès que Mathieu était de nouveau en contrôle, elle reprenait sa succion implacable avec encore plus de force. Elle jouait à ce petit jeu plusieurs fois, amenant chaque fois Mathieu au bord de l'extase avant de le calmer, pour mieux le torturer à nouveau. Celui-ci ne pouvait que tenter d'endurer ce doux supplice le plus longtemps possible, jusqu'à ce qu'il soit réduit à fermer les yeux et à se laisser aller dans la bouche avenante. Refusant de reprendre ses esprits, Mathieu s'endormit finalement sur le canapé, une petite flaque laiteuse sur le ventre.

• • •

À compter de cette soirée, de plus en plus d'événements invraisemblables se produisirent. Tout d'abord, Mathieu se mit à bander n'importe où et à tout moment de la journée. Il n'avait qu'à penser à cet ensemble de satin et vlan ! Instantanément, il se sentait comme un étalon prêt à sauter sur la première jument venue. Cette phase dura presque deux semaines. Et s'il ne rencontrait pas bientôt quelqu'un avec qui il pourrait enfin libérer un peu de cette tension, il allait éclater, il en était certain. Il se masturbait en effet presque tous les jours et avait l'impression de retomber en pleine adolescence. Pire encore, il semblait totalement incapable de se contrôler : sous la douche, le matin; avant de se coucher, le soir. Parfois même en plein jour, il s'éclipsait dans les toilettes pour se soulager rapidement.

Autre fait exceptionnel : un soir, en sirotant une bière en compagnie de ses copains, il partit de lui-même faire la conversation à une fille assise seule au bar. Il faut dire, pour sa défense, que Mathieu avait déjà consommé plusieurs bières de trop et que la perspective de rentrer seul chez lui le démoralisait outre mesure. Il passa donc à l'attaque et cela fonctionna. Après quelques heures de conversation plutôt agréable, la fille du bar l'invita chez lui. La jeune femme était grande et blonde, sans être particulièrement jolie, mais Mathieu avait mis de côté ses exigences pour le moment. Il avait besoin d'une femme, là, tout de suite. Même si ce n'était pas la déesse à laquelle il aspirait, tant pis ! Elle compenserait peut-être d'une autre manière. Elle lui servit une bière, et comme il le souhaitait, l'embrassa en laissant sa main aller droit au but. Et elle ne fut pas déçue ! L'effet fut immédiat. Comme un ressort, Mathieu banda au point d'être très inconfortable. Son hôte l'encouragea alors à se déshabiller, en fit autant devant lui, et l'invita à la suivre dans sa chambre.

Mathieu ne se fit pas prier. Enfin, il connaîtrait autre chose que sa main calleuse ! Elle le suça sommairement, ne semblant pas être trop friande de ce préliminaire. Peut-être avait-elle plutôt envie d'autre chose, qui sait ? Elle prit place au-dessus de lui et glissa le membre bien dressé de Mathieu en elle. Il expérimenta ensuite, au cours de cette seule nuit, plus de positions différentes qu'il ne l'avait jamais fait jusqu'alors. Cette fille avait une imagination et une souplesse du tonnerre! Elle semblait aussi assoiffée que lui, aussi baisèrent-ils frénétiquement, se faisant jouir mutuellement à plusieurs reprises jusqu'à ce qu'ils s'endorment, totalement épuisés.

Quand il s'éveilla, Mathieu était désorienté et en proie à un effroyable mal de tête. Sa douleur s'accentua dangereusement quand il vit la fille endormie près de lui. Son premier instinct le poussa à se lever et à s'habiller à toute vitesse. Que s'était-il passé? Était-il à ce point en manque pour «ramasser» cette fille et se retrouver chez elle? Quelques scènes de la nuit passée lui revinrent en mémoire. Elle n'était pas si mal, après tout. Mais quand même! Passait-elle ses fins de semaine avec des gars différents chaque nuit? Mathieu en eut un frisson.

Il était maintenant prêt à partir. Qu'était-il censé faire? Laisser son numéro de téléphone quelque part? Mais il n'était pas du tout certain d'avoir envie de la revoir. Il ne pouvait tout de même pas partir ainsi, comme un voleur, après la nuit qu'ils venaient de passer. Il vit tout à coup, sur une petite table, ce qui semblait être un compte de la compagnie de téléphone. Un nom, une adresse, un numéro. Il supposa que c'étaient ceux de sa maîtresse. Il griffonna les informations sur une feuille d'un petit bloc-notes, l'enfouit dans sa poche. Puis, il laissa un bref mot:

Désolé, je devais partir tôt. Merci pour la belle soirée, je t'appellerai!

«Salaud, se dit-il, tu pourrais au moins la réveiller.» Mais il pouvait aussi ne pas le faire, ce qu'il choisit. On était samedi, il avait beaucoup de pain sur la planche et, bien honnêtement, il n'avait pas la force de mentir à haute voix. Il quitta donc l'appartement comme un lâche, se convainquant toutefois que la fille devait probablement s'attendre à un tel comportement de sa part.

Mathieu avait pris un peu de retard sur son horaire de lessive habituel, mais il passa quand même chez lui, prit une douche rapide, ramassa ses vêtements et se rendit à la buanderie.

• • •

Il se dirigea automatiquement vers ses laveuses habituelles. Comme il était quand même tôt pour le commun des mortels, la plupart des appareils étaient inoccupés, et l'endroit n'était pas encore très achalandé. Il allait déposer ses effets personnels à l'intérieur d'une des laveuses, quand il remarqua quelque chose gisant au fond. Il s'en empara et réalisa qu'il s'agissait d'un bas de soie identique à ceux que portait sa maîtresse imaginaire lors de sa dernière visite. Il le mit en boule et l'enfouit discrètement dans la poche de son jean. Quelle chance! À ce rythme-là, il posséderait bientôt une garde-robe féminine complète! En arrivant chez lui, il sortit le bas de sa poche. Très doux, pâle et translucide, sans maille apparente. Il le fit glisser lentement entre ses doigts et sentit presque immédiatement une douloureuse érection resserrer son pantalon. Il plaça son nouvel outil de plaisir avec les deux autres et se permit de rêvasser encore une fois. Il commençait à trouver un peu bizarre le fait de fantasmer et de se masturber en pensant à une fille qui n'existait probablement pas, mais après tout, cette petite fantaisie ne faisait de mal à personne. Sylvie, celle avec qui il avait passé la nuit, pourrait-elle porter ces vêtements? Peut-être pourrait-il lui demander de les enfiler, pour voir. Le seul risque étant qu'elle détruise l'image qu'il se faisait de la femme irréelle qui hantait son imagination. Il était cependant prêt à prendre cette chance.

Il passa donc cette soirée et les suivantes à se demander s'il devrait téléphoner à Sylvie. Mais chaque fois qu'il allait composer son numéro, il ne pouvait s'empêcher de voir son visage et de le comparer à celui de la femme mythique qui le hantait.

Et là, il changeait invariablement d'idée. Ce n'est que le samedi suivant, en trouvant dans la sécheuse le bas de soie complétant la paire, qu'il commença à se demander si ces effets étaient vraiment déposés là par hasard.

Mais qui donc pouvait s'amuser à ce petit jeu avec lui? Il chassa immédiatement cette pensée idiote de sa tête. Ce n'était pas le genre de choses qui lui arrivaient, à lui. Et cela ne pouvait pas non plus être quelqu'un qu'il connaissait. La seule fille dont il était proche, c'était Geneviève. Et ce n'était pas vraiment une fille; du moins, pas dans le sens d'une aventure potentielle. «Le jour où Geneviève portera de tels vêtements, il pleuvra sans doute des grenouilles!», se dit-il en souriant. Peut-être était-ce une blague qu'elle lui faisait, pourquoi pas? Il doutait qu'elle soit du genre à lui jouer un tel tour, mais essaierait de lui en parler subtilement, juste pour voir.

Mathieu eut alors une soudaine inspiration. S'il arrivait plus tôt que d'habitude à la buanderie, peut-être rencontrerait-il la femme distraite et mystérieuse qui perdait chaque semaine un nouvel élément de sa garde-robe? C'était décidé, il mettrait son plan à exécution dès la semaine suivante.

• • •

Le samedi suivant, comme prévu, Mathieu se rendit à la buanderie une heure plus tôt qu'à son habitude. Il avait même dû régler son réveil pour l'occasion. Il était matinal, mais pas à ce point! Le mystère était cependant trop grand, il voulait en avoir le cœur net. Il se rendit vite à l'évidence: il n'y avait à la buanderie qu'un gros barbu avec son jeune fils et une dame d'un certain âge. «S'il s'agit de cette dame-là, se dit-il, je suis foutu! J'aime autant ne pas y penser!», se dit-il, dépité. Le gros barbu, quant à lui, lavait des vêtements nettement trop masculins pour avoir quoi que ce soit à voir avec toute cette histoire. Mathieu fit tout de même le tour des laveuses et sécheuses, tentant de découvrir un indice. Rien pour le moment. Il entreprit donc sa corvée hebdomadaire, se promettant de bien observer les faits et gestes des clients qui se présenteraient au cours des minutes suivantes, tout en songeant au petit drame survenu récemment. Il avait en effet appelé Sylvie quelques jours plus tôt, et elle s'était montrée ravie de l'entendre. Ils s'étaient donné rendez-vous chez elle. Sous le coup d'une soudaine impulsion, il avait apporté les vêtements, ignorant encore comment il s'y prendrait pour lui demander de les revêtir, même s'il y avait longtemps réfléchi. Il trouvait la demande délicate, car ils n'en étaient qu'à leur deuxième rencontre. Mais la tentation était trop grande, alors il se devait d'essayer.

Comme il l'avait espéré, Sylvie l'avait accueilli à bras ouverts. Elle était impatiente et l'avait directement entraîné dans la chambre. En voyant son air vaguement indécis, elle avait cru qu'il n'avait pas envie d'elle. Il tournait en fait autour du pot un moment, ne sachant comment formuler sa requête. Finalement, il avait sorti les sous-vêtements d'un sac qu'il avait apporté et les lui avait montrés. Elle les avait regardés attentivement, puis ses yeux avaient rétréci, et elle s'était dégagée, le visage déformé par la colère.

— Qu'est-ce que c'est que ça? Les vêtements de ton ex? T'es malade ou quoi? Je pensais qu'on s'entendait bien, tous les deux! Allez, sors, va-t'en!

— Mais calme-toi, voyons! Ce ne sont pas du tout les vêtements de mon ex! Je t'expliquerai plus tard… Mais si tu ne veux pas les porter, ce n'est pas grave. Oublie ça!

Mathieu s'était fait plus cajoleur. Il lui avait assuré que ces vêtements n'appartenaient à aucune autre femme, se contentant d'affirmer qu'il désirait la voir les porter en raison de leur délicatesse. Amadouée, Sylvie avait pris les dessous afin de les observer avec soin. Elle semblait en apprécier la qualité et la douceur. Après quelques instants d'hésitation, elle était partie dans la salle de bains et était réapparue quelques minutes plus tard. Mathieu avait tenté de son mieux de ne rien laisser transparaître de sa déception. Mais ça n'allait pas du tout! Le soutien-gorge était trop serré et faisait rebondir les seins de Sylvie de façon disgracieuse. La culotte, quant à elle, était trop étroite, laissant déborder des hanches généreuses. C'était le contraire de ce que Mathieu attendait, et il était déçu. Tout à coup, il n'avait eu qu'une idée en tête: partir... mais pas avant d'avoir récupéré ses vêtements.

— Merci, Sylvie. Enfin, je voulais juste savoir s'ils t'iraient...

— Tu voulais me les offrir? Comme c'est gentil! Viens ici, que je te remercie correctement...

Il s'était approché, mais la vue de la fille défigurant les vêtements qui lui avaient procuré tant de plaisir l'avait perturbé. Il avait tenté de lui demander le plus gentiment possible de les retirer, mais son air renfrogné avait gâché l'effet escompté. Voyant qu'il ne souriait plus, Sylvie était retournée dans la salle de bains pour se changer. Puis, elle était revenue, vêtue d'une robe de chambre, lui avait tendu les vêtements et lui avait fait signe de venir la rejoindre au lit. «Mais qu'est-ce que je fais ici, moi? Cette fille ne me plaît même pas!», avait-il tout à coup réalisé, comme s'il avait eu une révélation. Dépité devant ce qu'il s'apprêtait à faire, mais résigné devant son manque de désir, il avait alors dit:

— Écoute, Sylvie, il faut que j'y aille. On... on se reprendra peut-être une autre fois, d'accord?

— Comment ça, il faut que tu y ailles? J'avais donc bien raison! T'es rien qu'un malade! Allez, dehors, et ne te donne pas la peine de m'appeler!

— Oui, bon, salut...

C'était ainsi qu'ils s'étaient quittés, et Mathieu se sentait à présent misérable. Il s'était conduit comme une parfaite ordure.

Qu'est-ce qui lui prenait, ces jours-ci? Et de toute façon, comment s'était-il retrouvé dans le lit de cette fille? Son jeûne sexuel lui avait sûrement fait perdre les pédales. Et le fait de demander à Sylvie d'enfiler les sous-vêtements avait été une grave erreur. Elle avait, du même coup, rompu le charme. Il se rendait compte qu'il n'y connaissait absolument rien en matière de tailles de femmes. Ces vêtements lui allaient si mal, la pauvre! L'inconnue devait donc être encore plus mince que Sylvie, qui lui avait pourtant semblé assez svelte. Étonnamment, depuis ce malheureux épisode, il examinait attentivement chaque fille qu'il croisait dans la rue, essayant de deviner si, par un heureux hasard, elle pourrait porter de jolis dessous similaires à ceux qu'il admirait tant.

Mais le temps passait, sa lessive était terminée et aucune personne suspecte ne s'était encore présentée à la buanderie. Il prit malgré tout soin de plier ses vêtements avant de partir. Ne trouvant aucune pièce de vêtement qui ne lui appartenait pas, il ressentit une certaine déception et se résigna à laisser passer une semaine de plus avant de trouver un indice supplémentaire.

Il passa les jours suivants à se traiter d'idiot et d'obsédé, sans toutefois arriver à se débarrasser de son idée fixe. Il prit conscience, avec effroi, qu'il sombrait même dans le désespoir quand il se surprit à examiner Geneviève d'une toute nouvelle façon. Un soir, toute l'équipe de hockey était au bar du coin, et Geneviève était apparue un peu plus tôt, la mine sombre. Elle se tenait maintenant debout et avait une discussion animée avec Pierre, un de leurs coéquipiers. Mathieu ne prêtait pas l'oreille à leurs propos. Il venait de réaliser à quel point Geneviève était menue. Probablement assez menue pour... Il rit intérieurement à la seule pensée de la voir revêtue des petits sous-vêtements roses. De son côté, Geneviève semblait de bien mauvaise humeur. Il entendit par hasard une bribe de la conversation qu'elle avait avec Pierre:

— Vous êtes tellement aveugles, vous les hommes! Il faudrait qu'on se jette carrément à vos pieds en criant à tue-tête pour que vous nous remarquiez enfin! C'en est décourageant. Et même là, vous vous demanderiez sûrement qu'est-ce qu'on a à hurler comme ça!

Mathieu ne put s'empêcher de sourire. Si une femme avait voulu qu'il la remarque, elle n'aurait pas eu grand-chose à faire! Pauvre Geneviève, elle avait de toute évidence encore des ennuis avec les hommes. Il fallait dire qu'elle ne choisissait jamais les bons! Ils burent finalement quelques bières sans que Geneviève ne reparle de sa nouvelle déception. Et comme le lendemain, on serait un vendredi, et de surcroît un jour férié, ils convinrent de se retrouver au parc dans la matinée pour une petite partie de frisbee.

La partie se déroula comme d'habitude, dans une atmosphère indescriptible à la fois sérieuse et hilarante. Mathieu songea soudain, avec un frisson bizarre, que c'était Geneviève qui rendait ces parties si drôles. La mauvaise humeur de son amie semblant disparue, Mathieu l'invita à venir manger chez lui. Elle accepta, à condition qu'elle puisse prendre sa douche dans son antre de célibataire, ajoutant malicieusement que cette douche-là n'avait pas vu un corps de femme depuis si longtemps qu'elle en serait probablement choquée!

Ils mangèrent rapidement, et Geneviève tenta de savoir si Mathieu avait trouvé d'autres indices au sujet de la mystérieuse inconnue. Il lui cacha le fait que des bas s'étaient greffés à sa petite collection et qu'il avait toujours les adorables dessous en sa possession. Qu'aurait-elle pensé de lui, sinon? Elle ne le croyait pas, de toute évidence, et se serait fait un malin plaisir de se moquer ouvertement de lui. Geneviève n'avait pas parlé de Sylvie, sentant probablement qu'il s'agissait d'un sujet délicat. Elle aida Mathieu à ranger la vaisselle et partit prendre sa douche. Elle n'y était que depuis quelques instants, quand Mathieu décida d'aller acheter quelques bières. Il ouvrit la porte de la salle de bains et demanda à Geneviève si elle désirait quelque chose. Elle lui cria qu'une bière serait bien bonne. Il voulut alors refermer la porte, mais elle semblait bloquée. Il se pencha donc pour déplacer l'obstacle, quand il vit un très joli soutien-gorge noir en satin et en dentelle. Il n'aurait jamais cru que son amie de toujours portait ce genre de choses! Comme sa vue lui procura un début d'érection, il s'empressa de déplacer le dessous fautif du bout du pied, confus, et referma la porte derrière lui.

Mais d'étranges pensées l'assaillirent tout au long de sa course. Geneviève avait-elle toujours porté de tels sous-vêtements? Pour jouer à la balle, en plus? La connaissait-il si mal que cela? Tout à coup mal à l'aise, il se dépêcha d'acheter la bière et de retourner chez lui. Il espérait qu'elle en aurait terminé avec sa douche et serait déjà rhabillée, car il n'aimait pas du tout l'effet de ce soutien-gorge sur lui. Il venait en fait de se rendre compte que Geneviève était une femme. Bien sûr, il l'avait toujours su, mais il n'avait jamais vraiment perçue son amie comme telle. Elle n'avait toujours été, somme toute, qu'un autre membre du groupe. Et voilà qu'elle venait de lui montrer, sans même le savoir, qu'elle n'était pas plus un homme que lui n'était une femme... Quel choc!

Quand il arriva chez lui, Geneviève était sortie de la douche et se séchait les cheveux. L'embarras de Mathieu était tel qu'il trouva une excuse, lui disant qu'il devait partir sur-le-champ faire quelques courses. Elle ne sembla pas ennuyée et partit sans poser de questions.

● ● ●

Mathieu avait décidé de ne plus tenter de découvrir la mystérieuse inconnue. Tout compte fait, il était inutile de la connaître. Il ne s'agissait, sans aucun doute, que d'un heureux hasard. Et si c'était plus qu'une coïncidence, la femme en question aurait dû se débrouiller pour être plus directe. Lui, en tout cas, ne jouerait plus. Il se rendit donc, comme tous les samedis matin, à la même heure que d'habitude à la buanderie. Il ne fouilla toutefois pas dans les appareils pour voir si quelqu'un avait laissé un quelconque sous-vêtement. Il était encore trop préoccupé par l'incident de la veille et inquiet de ne plus pouvoir considérer Geneviève, son amie de toujours, de la même manière.

Il était, en fait, tellement distrait qu'il ne vit pas les nouveaux dessous qui s'étaient glissés dans ses affaires avant d'arriver chez lui. Quelle surprise! Il aurait pu jurer qu'il s'agissait du même soutien-gorge qui avait bloqué la porte de la salle de bains, hier. Un joli soutien-gorge noir, en satin et en dentelle, assorti de sa culotte.

Il sentit ses jambes faiblir. Il courut dans sa chambre, compara les deux ensembles et réalisa qu'ils étaient de la même taille. De la même taille que ceux que Geneviève devait porter! Cette révélation lui donna une bouffée de chaleur. Et sans qu'il puisse y résister, l'image de la belle étrangère s'imposa de nouveau à son esprit, mais revêtant, cette fois-ci, les traits de Geneviève. Honteux de ce fantasme, Mathieu nageait en pleine confusion. Il ne pouvait quand même pas se mettre à désirer Geneviève! Pas elle, quand même! Mais la simple pensée de cette amie de toujours portant des sous-vêtements si séduisants le fit bander dur comme fer.

Il se força alors à orienter ses pensées vers quelque chose de moins excitant. Qu'allait-il faire? Allait-il perdre une bonne amie, du jour au lendemain, simplement parce que son stupide cerveau lui imposait ces images perturbantes? Mathieu dut cependant se rendre à l'évidence. Aussi dérangeantes pussent être ces visions, elles n'en agissaient pas moins sur son entrejambe.

Paniqué, et par respect pour son amie, il décida de tout lui

dire, en insistant sur le fait que cette histoire le rendait complètement fou. Il s'empara donc du téléphone et composa un numéro
machinalement.

— Allo, Geneviève! Il faut qu'on se voie, tout de suite!

— Mais qu'est-ce qui se passe? Tu as l'air tout à l'envers!

— Tu peux venir ou je vais chez toi?

— Euh... Je t'attends.

Mathieu parcourut les quelques rues le séparant de chez
Geneviève dans un état second. Il avançait d'un pas ferme, mais
ignorait totalement comment il s'y prendrait pour lui expliquer
son trouble. Que ferait-il en arrivant chez elle? Il se rendrait
sûrement complètement ridicule, mais il ne pouvait plus reculer,
maintenant. Pourquoi n'avait-il pas attendu, la veille, que son
amie soit sortie de la douche avant d'entrer dans la salle de bains?
Se doutait-il inconsciemment de ce qui l'attendait? N'avait-il pas
toujours su qu'elle était belle et disponible? Était-ce son appétit
sexuel anormal des derniers temps qui avait provoqué une telle
réaction face à un incident, somme toute, anodin? Ou alors,
avait-elle tout planifié?

Encore plongé dans ces pensées, il sonna chez elle. Après
l'avoir fait entrer et asseoir dans son salon, elle lui demanda la
cause de son embarras.

— Geneviève, je ne sais pas comment t'expliquer la chose, mais
il m'arrive quelque chose de vraiment gênant. Ça a commencé il
y a quelques semaines de ça. Lorsque j'ai trouvé la culotte dans
mes affaires, en revenant de la buanderie.

— Oui, et ensuite le soutien-gorge...

— Tu ne me crois toujours pas?

— Ben si, si tu veux. Tu as l'air sérieusement bouleversé!

— Eh bien... hier, quand tu étais chez moi et que je t'ai
demandé si tu voulais quelque chose, j'ai vu ton soutien-gorge
par terre et...

— Et alors?

— Je n'avais jamais réalisé que tu pouvais porter de tels sous-vêtements. Depuis, je n'arrête pas de penser à... à...

— À quoi, Mathieu? Est-ce que tu penserais à moi d'une façon différente?

— Oui, exactement! Et ça m'embête... Je t'aime comme une sœur, mais là, j'ai toutes sortes d'idées absurdes qui me passent par la tête. Je ne sais plus quoi faire! Tu vas me détester et je te comprendrai...

— Te détester? Mathieu, je ne pourrai jamais te détester!

Sur ces mots, elle se releva soudainement et ouvrit son peignoir, dévoilant sa gorge, puis sa poitrine menue enfermée dans un magnifique soutien-gorge rose dont la couleur contrastait avec sa peau foncée et mate. Elle fit alors lentement descendre le peignoir le long de son corps. Son ventre plat s'exposa enfin, jusqu'à la fine dentelle qui délimitait la bordure de sa minuscule culotte.

La scène était si proche de son fantasme, que Mathieu oublia toute retenue et se précipita sur elle. Elle sentait si bon, elle était si belle! Il était ébahi et osait à peine toucher cette peau si douce. Geneviève le prit dans ses bras et l'entraîna vers sa chambre. En le regardant avec une intensité incroyable, elle entreprit de le dévêtir sans se presser, défaisant patiemment chaque bouton de sa chemise, dégrafant le pantalon presque solennellement. Puis, après s'être agenouillée devant lui, elle lui couvrit le ventre de doux baisers, laissant sa langue s'égarer sur le sexe gonflé de son ami. Le pénis bien lové dans la bouche chaude de Geneviève, Mathieu laissa échapper un profond soupir. Sa maîtresse continua son ardente caresse pendant quelques instants, avant qu'il ne l'attire vers lui. Il la serra alors tout contre sa poitrine, les doigts plongés dans les cheveux si doux de cette superbe femme, et l'embrassa enfin, faisant émerger tous les sentiments qu'il ressentait et qui bouillonnaient en lui au point de l'étourdir. Sa dernière pensée lucide fut que c'était elle, qu'elle avait tout manigancé pour l'attirer. Et elle avait réussi...

Les deux amants se sentaient si proches l'un de l'autre qu'ils avaient l'impression d'avoir fait l'amour ensemble toute leur vie, sans pour autant avoir perdu la moindre parcelle de passion. Leurs gestes étaient tendres et aussi empreints de sensualité que d'affection. En effectuant une danse douce et lascive, ils s'étendirent l'un contre l'autre, se couvrant de baisers et se prodiguant des caresses de plus en plus urgentes. Mathieu revivait en mieux chaque instant de ses récentes rêveries, grâce, cette fois-ci, à cette femme bien réelle! Il pouvait enfin la toucher, s'attendrir sur la texture de sa peau, la souplesse de ses jambes, la rondeur de ses seins. Tout naturellement, leurs corps s'emmêlèrent, Mathieu tentant de retarder le moment ultime où il s'enfoncerait enfin au plus profond de sa compagne, qu'il connaissait si bien sans l'avoir goûtée pleinement. Mais au fil des baisers et du désir croissant, l'attente se résorba d'elle-même, et Mathieu glissa dans l'écrin velouté de Geneviève. Ils accordèrent instantanément leur rythme, pour se laisser bercer par le balancement de leurs hanches, chacun explorant le corps de l'autre avec délice, curiosité et contentement. Ils semblaient faits l'un pour l'autre, le sexe bouillant de Geneviève enserrant parfaitement le membre impétueux de Mathieu, qui s'activait maintenant sans retenue. Il s'interrompit, le temps de s'agenouiller derrière elle et de la relever près de lui, avant de regagner la chaleur de son corps offert. Ses mains ne pouvaient faire autrement que de parcourir le corps de sa maîtresse, s'attardant sur sa gorge déployée tandis que sa bouche mordait le cou gracieux de la jeune femme. Il laissa ses doigts trouver le pubis, puis les lèvres frémissantes de Geneviève, avant de les écarter et de les masser, se repaissant des soupirs éloquents de sa maîtresse. Son plaisir s'intensifiant à chaque souffle, Mathieu jouit enfin en elle dans un flot libérateur et il put ressentir, durant de longues minutes, les derniers soubresauts de plaisir du corps de sa compagne. Les deux amants s'endormirent heureux, toute inquiétude au sujet de la transformation de leur relation envolée.

Le samedi suivant, ce fut le cœur léger que Mathieu partit faire sa lessive à l'heure habituelle. Geneviève et lui ne s'étaient pratiquement pas quittés depuis le soir où ils s'étaient enfin unis. Le jeune homme réalisait maintenant à quel point il l'avait toujours désirée. Elle le comblait à tous les niveaux, et chaque moment passé loin d'elle lui était douloureux. Il consacra le temps passé à la buanderie à se remémorer les derniers jours, un sourire béat aux lèvres. Le cycle de séchage terminé, Mathieu empila ses vêtements et ne put réprimer un sourire, taquin cette fois-ci, en voyant une jolie culotte s'échapper de l'appareil en même temps que ses affaires. Il se rendit compte, à cet instant précis, que ni lui ni Geneviève n'avaient reparlé de la technique qu'elle avait utilisée avec tant d'adresse pour le séduire. Il fut d'ailleurs surpris de constater qu'elle n'avait pas encore abandonnée sa stratégie, comme en témoignait la présence de ce dernier sous-vêtement. Elle l'avait bien eu, là! Si ce n'avait été d'elle et de son adorable petit jeu, peut-être ne vivraient-ils pas d'aussi beaux moments, ces jours-ci. Comme il était heureux qu'elle ait fait les premiers pas!

Il ramassa la culotte et la plaça dans le panier avec le reste de ses vêtements. Au même moment, la vieille dame qu'il avait aperçue le jour où il était venu plus tôt, fit son entrée. Elle semblait préoccupée, faisant le tour de la pièce lentement, examinant chaque appareil. Après quelques minutes de recherche laborieuse, elle se tourna vers Mathieu et lui demanda, avec un embarras évident:

— Pardon, jeune homme. Vous n'auriez pas trouvé quelque

chose dans la sécheuse? Je suis vraiment distraite. Ça fait des semaines que j'oublie des vêtements chaque fois que je viens faire ma lessive. Mon mari commence à se demander où sont tous mes plus jolis sous-vêtements...

Quitte
ou double

Je me souviendrai sans doute toute ma vie de cet automne mouvementé. À mesure que les feuilles des arbres se coloraient et que nous, pauvres humains, nous préparions à un autre hiver de misère, ma vie personnelle s'est détériorée. En l'espace d'un seul mois — septembre était pourtant très beau, cette année-là — mon ami m'a quittée, j'ai perdu mon emploi et me suis presque faite évincer de mon logement parce que j'avais omis de payer plusieurs mois de loyer, une tâche qui revenait jusqu'alors au dit ami.

Après une longue période d'apitoiement sur mon triste sort, j'ai dû me rendre à l'évidence : je l'avais bien cherché ! Quand Jérôme m'avait quittée, la chaîne des événements s'était emballée, et cela, entièrement par ma faute.

Les problèmes ont en fait commencé lors d'une petite fête donnée à l'occasion de mon anniversaire, au mois de janvier de la même année. J'observais tous mes amis réunis, consciente de la chance que j'avais de bénéficier de l'amitié de tous ces gens que j'aimais et que je respectais. Mais j'ai soudain réalisé qu'il manquait une toute petite chose à ma vie pour que mon bonheur soit complet. Et cette petite chose se résumait en un seul mot : postérité. Après mon passage sur Terre, rien ne perpétuerait mon souvenir. Du moins, rien de tangible. À partir de ce moment-là, je n'ai eu qu'une idée en tête : avoir un bébé. J'y avais, bien entendu, déjà pensé, désirant depuis aussi longtemps que je m'en souvienne fonder une famille. Mais je remettais ce rêve à plus tard, toujours plus tard. Quand ma situation financière serait plus solide; quand je partagerais ma vie avec l'homme idéal; quand j'aurais atteint mes objectifs de carrière. Quand, quand, quand...

En analysant ma vie, ce soir-là, j'ai réalisé plusieurs choses. Tout d'abord, que je vivais avec Jérôme, un homme que j'aimais suffisamment pour envisager d'en faire le père de mes enfants. Nous n'étions pas riches, mais après tout, n'était-ce pas d'amour dont un enfant avait le plus besoin? Quant à ma carrière, je devais me rendre à l'évidence. Elle n'avait pas abouti au niveau que je m'étais fixé, et je semblais m'éloigner de mes buts plutôt que de m'en rapprocher. Bref, qu'est-ce qui me retenait encore? Je me suis enfin rendu compte que la réponse à toutes ces questions se résumait à «rien du tout». L'idée de concevoir un enfant est donc devenue une obsession dévorante, et ce, malgré le manque d'enthousiasme de mon compagnon. Je ne considérais d'ailleurs aucunement cette attitude comme étant un obstacle majeur. Têtue, j'avais la certitude que, une fois confronté au fait accompli, il sauterait de joie et accueillerait ce petit trésor à bras ouverts. C'était le même type de conviction qui me faisait croire que tout ce que j'avais à faire, c'était de cesser le contraceptif que j'utilisais d'ordinaire, pour que le miracle se produise. Pour me donner bonne conscience, j'ai tenté durant plusieurs jours, voire des semaines, de persuader Jérôme des bienfaits de mon projet, même s'il ne s'agissait, somme toute, que d'une simple formalité puisque j'étais convaincue que j'avais raison. J'ai persévéré un peu, avant de conclure que mon bonheur ferait inévitablement le sien. Aussi ai-je cessé mes tentatives de persuasion et ai-je décidé de passer à l'action sans importuner davantage mon compagnon.

Je n'ai par conséquent plus parlé de bébés, n'ai plus poussé de soupirs à fendre l'âme à la simple vue d'un poupon à la télé ou dans la rue. Bref, j'ai fait mine de ne plus y penser. Ce que Jérôme ignorait, toutefois, c'était que j'avais jeté mes pilules contraceptives aux ordures, n'en conservant que le boîtier, que je laissais traîner bien en évidence dans la pharmacie. Je pourrais toujours feindre l'incompréhension et invoquer la thèse de l'accident, puis le flatter en affirmant qu'il devait avoir un sperme du tonnerre pour arriver à passer outre les doses d'hormones censées me protéger.

Pour être tout à fait certaine de mon succès, j'avais pris soin de bien m'informer sur le processus de procréation, afin de pouvoir déterminer les périodes d'essais inutiles et celles, au contraire, les plus susceptibles de faire réussir mon plan. Peut-être Jérôme me trouvait-il donc étonnamment entreprenante, les jours où je l'attendais à son retour du travail, vêtue de mes plus légers dessous, bien installée au lit dans une pose aguichante... Il n'a en fait jamais semblé se poser de questions, préférant sans doute croire en un simple désir engendré par ses incomparables prouesses sexuelles. Je le laissais, bien entendu, croire ce qu'il voulait, tout en tâchant de ne pas être trop transparente. Les hommes sont parfois moins idiots qu'ils ne le laissent paraître.

Mais voilà... huit mois plus tard, il ne s'était toujours rien passé. Je commençais à me décourager, un horrible doute en tête. Ce n'était pas si facile que ça, alors ? Et si quelque chose clochait dans mon corps ? J'ai aussitôt chassé ces pensées déplaisantes et ai tenté de me ressaisir. Prenant l'initiative une fois de plus, j'ai profité du fait que nous avions tous les deux une semaine de vacances pour nous organiser un séjour, aux dates opportunes, dans une charmante auberge où nous pourrions «donner libre cours à notre passion», ai-je ajouté d'un air coquin. Jérôme m'a alors fait remarquer que depuis quelque temps, notre passion ne paraissait souffrir d'aucun essoufflement. Ce à quoi j'ai répondu du tac au tac: «Mais tu m'excites tellement! Et si tu crois que je suis assoiffée maintenant, alors imagine ce que ce serait

si nous n'étions rien que nous deux pendant une semaine complète. Nous pourrions nous laisser aller à toutes les fantaisies!»
Il n'a pas pu résister à cette invitation et nous sommes partis, le
dixième jour de mon cycle menstruel, pour la campagne. Je me
réjouissais déjà à l'idée de concevoir mon bébé dans un cadre si
enchanteur.

Toute la semaine en question, je ne lui ai laissé aucun répit.
Il n'était plus question de laisser la moindre place au hasard ou
à la chance. J'avais bien lu quelque part que pour obtenir de
meilleurs résultats, il valait mieux laisser une journée complète
s'écouler entre chaque relation afin de permettre à l'homme de
reprendre des forces, mais je considérais ce détail comme de
la foutaise. J'ai donc usé de toute mon imagination, séduisant
chaque fois Jérôme de façon différente, afin d'abuser de sa subs-
tance si convoitée. Je me suis ainsi tour à tour transformée en
courtisane, en vierge effarouchée, en pute sans scrupules, en
fillette curieuse. Inutile de dire qu'il a vivement apprécié tout ce
que je lui proposais avec une vigueur croissante. Je jubilais! En
sept jours, nous avons fait l'amour au moins onze fois, et je me
disais que si ça ne réussissait pas là, eh bien, ça ne serait pas
faute d'avoir essayé.

Mais je n'ai eu ni la chance ni le temps d'élaborer cette théorie.
À la fin de ce même mois, Jérôme a enfin compris ce qui se passait. Quand mes règles ont fait leur apparition, deux semaines
après notre petite escapade, je n'ai eu ni la force ni le désir de
cacher ma déception. J'ai vécu les deux premiers jours dévorée
par la mauvaise humeur et les sombres pensées — chose fré-
quente, dans de telles situations — et ai obstinément refusé de
sortir du lit, préférant me prélasser dans une torpeur maussade.
Le troisième jour, à bout de patience et contaminé par mon irri-
tabilité, Jérôme a entrepris un grand ménage pour calmer ses
nerfs tendus. Il me jetait des regards désapprobateurs, alors que

je me contentais de fixer l'écran de la télévision en me gavant de crème glacée. Mais au bout d'une demi-heure, un Jérôme fulminant a éteint l'appareil d'un geste rageur et s'est planté devant moi, brandissant le boîtier vide de mes pilules contraceptives comme s'il s'agissait d'une arme mortelle. Puis, il s'est écrié :

— Qu'est-ce que ce boîtier datant de plusieurs mois fait dans la salle de bains, complètement vide ?

— Qu'est-ce que tu racontes ? Il ne peut pas être vide, voyons...

— Caroline, à quoi joues-tu ?

Oh ! oh ! Il avait découvert le pot aux roses. Je n'ai pas eu l'énergie de nier quoi que ce soit, considérant la bataille perdue d'avance. La querelle qui s'ensuivit a été terrible. Jérôme m'a traitée de tous les noms possibles et imaginables, m'accusant d'avoir délibérément trahi sa confiance, «bla, bla, bla». Moi, je suis restée là, molle et immobile, sans chercher à me défendre. À quoi bon ? Il n'était pas dupe. Finalement, il a claqué la porte derrière lui, me faisant comprendre sans équivoque qu'il ne pourrait jamais me pardonner et refusant d'admettre qu'il était simplement terrifié à l'idée d'être père. Il a disparu dans la nuit et je ne l'ai revu que quelques jours plus tard, lorsqu'il est venu chercher ses affaires. Cela a été une journée terriblement éprouvante. Il ne m'a laissé aucune chance d'expliquer ma conduite, de lui faire comprendre l'importance que ce désir avait pris dans ma vie dernièrement. J'ai donc vécu une rupture définitive, finale, complète.

J'étais dévastée. Au cours des semaines qui ont suivi, je me suis présentée au travail de façon aléatoire, prétextant une mystérieuse maladie. De plus, quand j'étais présente, mon attitude n'était pas des plus charmantes, mais je me foutais bien de toutes ces inscriptions à ajouter au site Web de rencontres que gérait la société qui m'embauchait. Mon rendement a de moins en moins été satisfaisant, jusqu'au jour où mon patron m'a surprise en train d'être carrément impolie et déplaisante envers un commanditaire éventuel. Invoquant mon écart de conduite, il m'a congédiée sur-le-champ. Voilà, j'étais maintenant seule et sans revenus. Le temps que je me ressaisisse et que je me décide enfin à chercher un autre emploi, quelques semaines se sont écoulées — les jours s'envolent parfois à un rythme effarant —, et ma situation ne s'améliorait pas. Je n'ai en fait réagi que lorsque mon propriétaire m'a donné un ultimatum en raison de mes oublis répétés à acquitter le loyer. Je me suis donc reprise en main, ai fini par trouver un emploi pour un autre site Web de rencontres et ai remis un certain ordre dans ma vie.

Néanmoins, je me sentais très seule. Ma rupture était encore récente, mais je devais admettre que ce qui me manquait le plus, ce n'était pas Jérôme comme tel, mais plutôt la partie de son anatomie contenant l'ingrédient nécessaire à la conception d'un bébé. Car cette idée ne m'était pas sortie de la tête, loin de là. Je désirais ce bébé plus que jamais, en venant même à me dire que n'importe quel homme ferait l'affaire, du moment qu'il soit en mesure d'offrir les qualités et les bonnes dispositions que je souhaitais transmettre à mon enfant.

Je me suis donc mise à examiner attentivement les hommes de mon entourage, les jaugeant d'un œil critique. Mais rien ne me convenait de ce côté-là. J'avais certes de très bons copains, mais l'idée de me retrouver au lit avec l'un d'eux me semblait bizarre, comme s'il s'agissait d'une forme d'inceste. De plus, l'un d'eux était homosexuel, un autre marié et très heureux, et le troisième décidément trop instable, tant au plan financier qu'émotionnel. Je me suis donc tournée vers l'agence pour laquelle je travaillais, me disant avec enthousiasme que c'était le moyen idéal pour choisir le père parfait. Ma tactique était simple. J'éplucherais les fiches personnelles de tous les hommes disponibles, et aurais ainsi tout le loisir de bien cibler leur *pedigree*.

La plupart de ces hommes m'ont alors semblé de bons candidats, mais il fallait dire que j'avais depuis longtemps cessé de croire que la clientèle des agences de rencontre était exclusivement constituée de laissés pour compte. Je me suis immédiatement mise à la tâche. L'ordinateur m'a permis de sélectionner tout d'abord quelques critères de base comme l'âge, la taille et le statut social de l'homme que je recherchais. Souhaitais-je un célibataire ou non? L'homme marié aurait l'avantage de ne pas être trop encombrant, mais peut-être ne serait-il pas toujours disponible les bons soirs... Et mon expérience avec Jérôme avait été suffisante pour me faire comprendre qu'on ne tombe pas nécessairement enceinte au premier essai. Il me faudrait donc un célibataire. Je me débarrasserais de lui, si nécessaire, une fois l'œuf dans le nid. J'ai laissé la catégorie de l'âge assez large, ne voulant pas limiter inutilement mes recherches. Puis, le tour de la taille est venu. J'ai réfléchi de la manière suivante: si j'avais un garçon, je voudrais qu'il soit plutôt grand, athlétique. La couleur des cheveux de mon amant? J'ai opté pour le brun ou le noir. Les yeux? «Hum... tiens, noisette.» J'ai décidé de m'abstenir pour la catégorie «intérêts particuliers», préférant examiner chaque cas attentivement. J'ai ensuite appuyé sur la touche «retour» une dernière fois, démarrant du même coup la recherche de l'homme idéal. L'ordinateur a ruminé quelques instants et m'a présenté une première fiche, spécifiant qu'il en avait sélectionné quatorze en tout. Quatorze? C'était fabuleux! Mon excitation est cependant tombée d'un cran en lisant les données présentées sur l'écran:

Jean-Pierre, cinquante-quatre ans, célibataire. Il est chômeur pour le moment. Jean-Pierre cherche une compagne racée, attirante et ne craignant pas d'élargir ses horizons, dans le but de découvrir les plaisirs de la vie.

Je n'avais rien contre le fait d'élargir mes horizons et me considérais assez aguichante. Mais le Jean-Pierre en question, lui, même s'il mesurait près d'un mètre quatre-vingt-dix, avait un sérieux problème d'embonpoint. Or, je ne voulais pas de ça pour mon fils, et encore moins pour ma fille! J'ai donc cliqué sur la fiche suivante:

Sylvain, vingt-deux ans, coureur de marathon.

Tiens, tiens... intéressant! Un peu jeune, mais il n'y avait là rien de problématique, au contraire. Néanmoins, en poursuivant ma lecture, j'ai vu qu'il recherchait, non pas une femme, mais un homme dans la quarantaine et aussi sportif que lui. Bon! suivant...

Maurice, trente-six ans, architecte. Il aime les balades en forêt, les sports nautiques et la nature en général. Maurice cherche une femme disponible, non-fumeuse, pour causeries et romance. Femmes obèses et de plus de trente ans s'abstenir.

Encore une fois, la photo de ce candidat m'a découragée. Maurice portait des lunettes aux verres si épais qu'il était difficile de distinguer la forme réelle de ses yeux. Or, je voulais que mon enfant ait une vision parfaite.

Et la liste s'est malheureusement poursuivie de la sorte jusqu'à la fin. Oh! quelques-uns de ces hommes étaient intéressants au premier coup d'œil, mais il y avait toujours un détail qui clochait. Mon enchantement du début s'est ainsi peu à peu dissipé, au fil de ma lecture. Le quatrième homme avait des dents tordues — bonjour les frais d'orthodontistes! — et le cinquième n'avait plus de cheveux. Certes, un homme chauve pouvait être très séduisant, je le reconnaissais, mais pas quand les poils de son nez étaient si apparents qu'on les voyait sur une photo d'ordinateur! Le sixième candidat, Guillaume, aurait bien pu me convenir, mais il devait se déplacer fréquemment à cause de son travail. Or, ce manque de disponibilité pouvait devenir un problème épineux. Le suivant, Jean-Simon, vivait en compagnie de ses quatre chats, et j'avais horreur de ces bêtes hypocrites et imprévisibles. Quant à Michel, le neuvième, il était dresseur de chiens et j'étais allergique à toutes les espèces canines depuis ma tendre enfance. Il y avait bien en onzième position un charmant médecin, mais ce dernier avait spécifié qu'il cherchait une femme qui pourrait le dominer et le réduire au rôle d'esclave. Et c'était un trait de caractère que je ne voulais vraiment, mais vraiment pas léguer à mon enfant! Bref, toute cette liste n'était finalement pas des plus excitantes, et je commençais à me lasser quand je suis enfin tombée sur quelque chose de franchement attirant.

Louis, trente-neuf ans, entrepreneur. Il aime les bons repas en tête à tête et est un excellent cuisinier. La natation, l'escalade et le ski alpin sont ses sports favoris. Louis recherche une compagne pour partager ces plaisirs et, qui sait, bien plus encore.

Ce dernier candidat possédait les atouts physiques qui me plaisaient le plus, du moins selon la photographie que j'avais sous les yeux. Sans plus attendre, j'ai envoyé un message dans sa boîte courrielle, espérant qu'il me réponde rapidement. Après quelques échanges des plus agréables au cours de la journée, je lui ai donné mon numéro de téléphone, car je mourais d'envie d'entendre sa voix.

Louis m'a téléphoné dès le lendemain et la conversation, bien que brève, a été très agréable. Il avait un sens de l'humour charmant, une voix douce et chaude. Au moment où il me parlait, j'ai entendu des éclats de rire enfantins autour de lui. Je me suis donc empressée de lui demander s'il s'agissait de ses enfants. «Hélas, non! m'a-t-il répondu. Ma sœur me les a confiés pour la soirée.»

Heureux de ce premier contact, nous nous sommes donné rendez-vous le jour suivant dans un café à la mode.

J'étais assise à une petite table isolée quand Louis s'est présenté devant moi, telle une apparition. Des cheveux châtains bouclés effleuraient ses épaules, il avait des yeux noisette éclatants et malicieux, un nez droit sur lequel flottaient quelques taches de rousseur discrètes et une bouche pleine aux lèvres sensuelles recouvrant des dents éclatantes. Il était splendide! Sans même lui dire bonjour, je me suis immédiatement lancée à l'eau, ayant l'habitude d'être directe:

— Comment se fait-il que vous ayez recours à une agence de rencontres? Vous ne devez sûrement avoir aucun mal à rencontrer de jolies femmes!

— Pas aussi jolies que vous, malheureusement! Et la question est réciproque...

Je lui ai adressé mon sourire le plus charmeur, tandis qu'il prenait place à table. Nous avons passé des heures très agréables et nous sommes quittés à regret, nous promettant de nous revoir dès le lendemain.

· · ·

Au cours des semaines suivantes, j'ai eu tout le loisir de découvrir l'homme qui se cachait derrière des atouts si charmants au premier abord. D'un naturel jovial et énergique, Louis possédait une culture générale impressionnante qui rendait la conversation passionnante. Mais la conversation, malgré son importance et ce qu'elle avait d'agréable, n'était toutefois pas la spécialité dans laquelle il excellait le plus. Louis était effectivement un amant formidable. Il possédait une coquette petite demeure dans les Laurentides et m'y a emmenée dès qu'il a été persuadé que nous nous plaisions. La première nuit que nous avons passée ensemble s'est avérée extraordinaire et éveille encore en moi de tendres souvenirs.

Louis m'avait préparé sur place, avec beaucoup de soin, un repas délicieux qu'il a servi dans le grand salon de cette maison, éclairé par une bonne flambée dans un âtre de pierre qui occupait un pan de mur. Le décor de cette pièce était simple, mais ô combien chaleureux! Le repas, quant à lui, a été exquis, du potage au dessert; surtout le dessert, d'ailleurs, en y repensant. Tout au long de la soirée, nous nous sommes jeté des regards langoureux qui présageaient une nuit fort agréable. Mon bel ami m'a embrassée juste avant de débarrasser la table, puis est revenu avec un grand bol de fraises, de la crème fouettée et du champagne. Il m'a ensuite faite danser dans ses bras devant les flammes, au son d'une douce musique, puis m'a déshabillée lentement. Ses yeux, qui me dévisageaient, brillaient d'une lueur très spéciale, empreinte de tendresse. Il m'a étendue sur la peau d'ours trônant devant la cheminée, admirant le reflet des flammes sur ma peau, puis a glissé une à une des fraises succulentes dans ma bouche, déposant de son autre main de petites boules de crème fouettée sur mes seins aux pointes dressées, puis sur mon ventre et mes cuisses. Il a ensuite léché ma peau de petits coups de langue avides, dessinant des arabesques dans la crème onctueuse.

Louis semblait vraiment se régaler, me déclarant que ma peau était exquise. Quand la chaleur de son haleine a enfin fait glisser la crème à l'intérieur de mes cuisses, il a poussé un soupir et en a goûté le mélange, qu'il a qualifié de sublime. Et la sensation était aussi délectable de son côté que du mien...

Après s'être à son tour déshabillé, Louis a coulé son corps sur le mien, transformant ses mouvements en frottements langoureux. Puis, il a flotté au-dessus de moi. Son sexe pointé m'a chatouillé le visage sans que je puisse toutefois y goûter, avant de descendre au niveau de mes seins, que je me suis empressée de resserrer autour de lui. Il s'est inséré doucement entre eux, puis est descendu le long de mon ventre afin de se reposer quelques instants à l'entrée de mon corps.

Quelques secondes plus tard, enfin, Louis s'est insinué en moi d'un mouvement fluide et m'a fait l'amour tendrement, puis avec plus d'ardeur. Mon plaisir était intense et je ne voulais surtout pas qu'il s'achève. J'ai tenté de ralentir les mouvements de mon nouvel amant, enroulant mes jambes autour de sa fine taille. Je l'ai ainsi retenu pendant un moment, tout en cherchant à deviner, en regardant au fond de ses yeux, s'il m'appréciait autant que cela était le cas de mon côté. Ce que j'y ai vu m'a rassurée, l'étincelle que j'avais décelée dans ce regard brillant plus que jamais. Comme je désirais le goûter à mon tour, je l'ai fait s'allonger près de moi et l'ai enduit généreusement de crème, prenant soin de bien étendre la mousse sur chaque parcelle de son membre impatient, son ventre et ses jambes. Le goût de son pénis, dans ma bouche, était sucré et délicieux. Ce dernier m'emplissait complètement, écartant ma mâchoire pour mieux glisser jusqu'à ma gorge, et laissant la crème, maintenant liquide, couler le long de mon menton jusqu'à mes seins, que sa langue s'est ensuite empressée de lécher.

Après m'être agenouillée au-dessus de lui, j'ai à nouveau guidé sa queue dans ma fente moite, l'accueillant avec gratitude et gourmandise. Les jambes de mon amant me berçaient doucement, tandis que ses mains, qui m'avaient saisie par les fesses, me soulevaient et m'abaissaient sur son membre comme un balancier divin. Nous ne formions plus qu'une entité, les deux pièces d'un même organisme. Louis s'est bientôt glissé hors de mon corps et a ramené sa bouche entre mes cuisses. Il m'a dégustée lentement, comme un mets succulent, mastiquant et suçant mon clitoris avec des gestes précis et quasi-artistiques. Je pouvais voir mon corps, reflété dans les grandes fenêtres, illuminé par les flammes ardentes. Mes cheveux recouvraient presque entièrement mon visage, tandis que les siens s'échappaient de mes cuisses écartées. Je me suis observée ainsi un moment, caressant mes seins palpitants, fascinée par la tête de l'homme qui s'activait dans la partie la plus sensible de mon anatomie. La langue de Louis m'a chatouillée et embrassée tant et si bien que j'ai joui entre ses lèvres, en frémissant et en poussant un long soupir.

Puis, je me suis allongée, écrasant mes seins sur la douce fourrure, laissant à mon amant le soin de me pénétrer profondément, jusqu'à ce que sa sève se mélange à la mienne et à toutes les autres saveurs recouvrant nos peaux brûlantes de désir. Blottis l'un contre l'autre, nous nous sommes endormis ensemble devant les flammes… c'était fantastique.

À compter de cette nuit-là, j'ai conclus que Louis serait l'homme idéal pour me faire l'enfant que je désirais tant. Seul nuage à l'horizon : j'étais aux prises avec un sérieux dilemme. Effectivement, ou bien je lui faisais part de mes intentions et courais le risque de le voir s'enfuir à toutes jambes, ou bien je ne disais rien, laissant la nature opérer son miracle, et je verrais plus tard comment agir, selon la tournure que prendrait notre relation. J'ai passé quelques jours à réfléchir à ces choix, avant d'opter pour le second. J'ai décidé que je ne dirais rien, me contentant de faire l'amour avec plaisir et sans prendre la moindre précaution. Je me suis même mise à calculer attentivement les dates les plus importantes de ma période menstruelle pour arriver à mes fins.

Le mois suivant, j'ai pris congé de mon amant les quelques jours précédant mon ovulation. Louis me manquait, certes, mais j'avais prévu cette attente afin de rendre notre désir — et son sperme —, le plus puissant possible. J'avais pris soin de lui laisser entendre que je nous préparais une fin de semaine du tonnerre. Je lui ai téléphoné le vendredi après-midi pour lui donner rendez-vous, mais ai été accueillie par son répondeur.

«Bonjour, vous êtes chez Louis et Daniel. Laissez un message, nous vous rappellerons dès que possible.»

«Salut, Louis. C'est moi, Caroline. J'espère que tu n'as pas de projets pour ce soir. Je t'attends avec impatience, dès que tu seras libre. Je suis à la maison et je ne bouge pas, sauf pour me préparer à t'accueillir...» BIP!

Ah! Daniel. Louis m'avait très peu parlé de ce frère avec lequel il partageait son appartement en ville. Comme je n'avais pas croisé ce dernier les rares fois où je m'étais rendue à cet endroit, plutôt qu'à sa maison des Laurentides, je commençais à être curieuse, mais m'étais dit que je finirais bien par le rencontrer un jour. Fidèle aux intentions élaborées dans mon message, je me suis fait couler un bain chaud, dans lequel je me suis laissée tremper avec bonheur pendant presque une heure. Je me suis ensuite aspergée de lotion odorante, soignant particulièrement mon apparence, avant de choisir un joli petit déshabillé de soie sur lequel j'ai enfilé un long peignoir. Le temps passait et Louis n'avait toujours pas donné de nouvelles. «C'est bon signe», me suis-je dit. Il ne m'aurait téléphoné que s'il ne pouvait pas venir, mon message étant suffisamment clair.

J'ai donc repris une lecture entreprise la veille et, environ une demi-heure plus tard, on a frappé à ma porte. J'ai éteint ma lampe de lecture, replongeant du même coup la pièce dans l'ambiance désirée, et suis partie vers l'entrée le cœur léger. Louis était là, un joli bouquet à la main. Dès que j'ai ouvert la porte, il m'a serrée contre lui et m'a embrassée ardemment. J'ai été heureuse de constater qu'il n'avait pas pris le temps de se raser tant il était pressé de venir, même si sa joue était un peu rugueuse contre la mienne. Je l'ai attiré à l'intérieur et, sans même lui laisser le temps de retirer son manteau, ai entrepris de me dévêtir lentement devant lui.

— Tu m'accueilleras toujours comme ça, quand je viendrai chez toi? a-t-il demandé, l'air taquin.

— Si tu le veux…

— Oh oui! Promets-le-moi! Chaque fois…

— Promis.

Sur cette confirmation, il s'est à son tour dévêtu, m'a entraînée sur le canapé et a plongé sa bouche entre mes cuisses nues. Il m'a léchée ainsi jusqu'à ce que je ruisselle et que je le supplie de me faire l'amour le plus fort et le plus vite possible. Je haletais de plaisir, mais voulais retarder ma jouissance jusqu'à ce que je le sente enfin en moi. Et je n'avais pas oublié qu'il devait se répandre abondamment au plus profond de mon corps. Il le devait impérativement.

Louis a enfin répondu à mes prières. Il m'a prise avec force, avant de me retourner et de s'enfoncer de nouveau en moi, broyant mon sexe béant, fouillant mon ventre de ses coups presque brutaux. Je le sentais très près du moment béni où il jouirait en moi. J'ai tenté de suivre son rythme, son plaisir. Mais juste au moment où il allait exploser, le téléphone a sonné. J'allais lui faire comprendre que je ne répondrais pas, mais n'en ai pas eu l'occasion. Surpris par la sonnerie importune, il s'est momentanément retiré de mon corps. Et c'est à ce même instant qu'il a joui, déversant un jet abondant sur mes fesses et au creux de mes reins. J'ai fait un effort surhumain pour ne pas laisser transparaître ma déception. Oh! Je n'étais pas déçue de sa performance, loin de là! Mais ce jour-là, ma fertilité potentielle était à son paroxysme, et Louis venait de gaspiller de précieux millilitres de sperme sur mes fesses plutôt qu'à l'intérieur, là où ils auraient dû se trouver. J'étais frustrée, mais je me suis dit que je tenterais ma chance plus tard.

Malheureusement, Louis devait rentrer chez lui le soir même, il avait un travail urgent à terminer. Je l'ai donc laissé se préparer avec tristesse et lui ai demandé de revenir le lendemain, soulignant que je lui réserverais le même accueil. Le laissant partir à regret, je me suis promis que je profiterais de lui dans peu de temps.

• • •

Le jour suivant, je me suis éveillée irritable et nerveuse. Je me suis rendu compte que mon manque d'honnêteté envers Louis m'agaçait. Mais simultanément, je savais qu'il n'était pas question de risquer de gâcher la concrétisation de mon rêve. C'était comme si j'avais une intuition que la prochaine fois serait la bonne, que c'était ce mois-ci que l'événement tant attendu se produirait enfin. Je verrais ensuite sa réaction, voilà tout. J'étais prête à assumer seule, s'il le fallait, les conséquences de mes actes. L'après-midi s'est étiré de manière interminable. Allait-il me rendre visite, ce soir ? Il fallait qu'il vienne, et qu'il vienne au bon endroit. Pour qu'il comprenne bien à quel point j'avais envie de le voir, je lui ai téléphoné en fin de journée pour m'assurer de sa visite. J'ai de nouveau été accueillie par le répondeur, ce qui m'a prodigieusement agacée. J'ai figé, ne sachant pas trop quel message laisser, puis j'ai raccroché. Je ne voulais effectivement rien révéler de trop intime, au cas où ce serait son frère qui l'entendrait en premier. Mais Louis devait aussi comprendre à quel point je le désirais. «Eh bien ! tant pis pour le frère, me suis-je dit, qu'il pense ce qu'il voudra !» J'ai recomposé le numéro, ai patiemment attendu la fin du message d'accueil et me suis jetée à l'eau:

«Louis, tu me manques terriblement. Il faut absolument que je te voie ce soir. Si tu savais avec quelle impatience j'attends que tu apparaisses sur le seuil de ma porte ! Je t'accueillerai, comme promis, de la façon qui semble tant te plaire. Ne tarde pas trop...» BIP!

«Avec ça, ai-je pensé, il ne pourra faire autrement que de se précipiter chez moi!»

L'attente a été plus courte encore que je l'espérais. J'ai à peine eu le temps de me changer et de prendre une douche rapide, que déjà des coups insistants se faisaient entendre à ma porte. J'ai ouvert à toute vitesse, me préparant à me déshabiller devant lui aussitôt qu'il aurait franchi le seuil de mon appartement. Il était si beau, ce jour-là! Ses yeux noisette empreints de malice et de désir, qui semblaient briller d'une lueur particulière, m'ont transpercée un instant avant de parcourir mon corps entier. Son regard, qui me déshabillait littéralement, m'a fait de l'effet. D'un seul coup, ma respiration s'est accélérée, et j'ai eu le souffle presque coupé devant ce regard à la fois impertinent et flatteur. Je l'ai attiré contre moi sans plus attendre. Son eau de toilette enivrante m'a fait reculer de quelques pas, puis j'ai à mon tour usé d'impertinence et fait glisser le léger dessous que j'avais revêtu de mes épaules frissonnantes. Louis m'a alors soulevée un peu brusquement et m'a laissée choir sur le divan. Il a ensuite retiré sa veste, sa chemise et son pantalon avec des gestes effrénés et s'est penché sur moi.

— Je n'osais pas espérer que tu arriverais si tôt..., ai-je murmuré.

— Quand j'ai entendu ton message, rien n'a pu me retenir. Mais je ne pourrai pas rester très longtemps. Tu seras fâchée si je pars tout de suite après?

— Pas si tu me fais ce dont j'ai envie depuis que tu m'as quittée...

Pour me signifier qu'il avait bien compris le message, il s'est agenouillé entre mes jambes et a embrassé mes lèvres déjà humides. Puis, sa main a pris le relais et m'a caressée fermement, écorchant presque ma chair fragile. Mais quelle agréable douleur! Après avoir écarté les parois de mon sexe enflammé, il s'est fait encore plus insistant, insérant un doigt, puis un autre, entre les parois veloutées de mon corps. La sensation de son mouvement de va-et-vient était aiguisée par une forte pression exercée au bon endroit, menaçant de me faire jouir d'une seconde à l'autre. Jamais il ne m'avait fait tant d'effet! Puis, en soulevant mes hanches entre ses mains puissantes, il a enfoncé sa verge, qui m'a paru immense, au tréfonds de mon corps sans cesser le mouvement circulaire de son doigt sur mon sexe, qui palpitait à présent au rythme des battements de mon cœur.

J'allais jouir de manière torrentielle quand Louis m'a relevée, puis guidée pour que je m'agenouille à mon tour, en appuyant mes coudes sur le dossier du canapé moelleux. Il a saisi mes hanches, pour que je puisse bien écarter mes fesses. Il m'a ensuite caressée davantage, laissant glisser sa main devant, puis entre mes lèvres frémissantes, qu'il a de nouveau écartées avant de s'engloutir en moi, poussant son membre entier jusqu'au fond de mon ventre, me faisant presque hurler de plaisir. Et comme je ne pouvais plus du tout retarder l'inévitable, j'ai joui avec une intensité démente.

Louis a néanmoins pris davantage d'ardeur en me voyant abdiquer. En saisissant mon bassin à pleines mains, il m'a martelée fortement jusqu'à ce que je sois persuadée que j'allais éclater. J'accueillais pourtant ces assauts avec délice, mon corps menaçant une fois de plus de succomber à un tel outrage. Et effectivement, j'ai joui une nouvelle fois, quelques secondes seulement avant que Louis n'atteigne l'orgasme à son tour, dans un dernier sursaut frénétique. Il s'est répandu en moi comme je l'avais espéré, sans se douter à quel point ce détail m'importait. J'ai senti le poids de son corps m'écraser doucement et, en suivant son mouvement, je l'ai attiré tout contre moi. La tête bien appuyée sur son ventre chaud, je me suis laissée aller dans un bien-être immense. Mon corps entier était encore secoué de plaisir, mais ma tête, elle, était plongée dans une merveilleuse langueur. Aussi n'ai-je pas amorcé le moindre geste afin de le retenir quand il s'est relevé, m'a embrassé les cheveux et m'a dit qu'il devait absolument partir. Il s'est habillé à la hâte, m'a embrassée de nouveau et a disparu.

Je suis restée couchée ainsi un bon moment, n'osant briser la douce torpeur qui m'habitait. Au bout d'un bon moment, je me suis néanmoins résignée et relevée péniblement, les jambes chancelantes. J'ai ramassé mes vêtements, anticipant le bon bain chaud que j'allais me faire couler dans quelques instants. C'est à ce moment-là que j'ai aperçu un objet presque caché sous le canapé. En me penchant pour le ramasser, j'ai vu qu'il s'agissait d'un portefeuille, sans doute celui de Louis. Je m'apprêtais à le déposer sur la petite table de l'entrée lorsque j'ai remarqué que quelques cartes et bouts de papier s'en étaient échappés et jonchaient le sol. Je me suis donc à nouveau penchée, et quelque chose a attiré mon regard: une carte d'assurance-maladie. La photographie qui ornait cette carte n'était pas très flatteuse, comme elles le sont rarement, d'ailleurs. Mais ce ne fut pas ce détail qui m'a fait sursauter... Sous la photo, au lieu du LOUIS BERTRAND que je m'attendais à lire, il était plutôt inscrit DANIEL BERTRAND. S'agissait-il de son frère? Son frère jumeau, alors?!! Je suis lourdement tombée sur le canapé, tentant de reprendre mes esprits. Louis ne m'avait jamais parlé d'un frère jumeau! D'un frère, oui... Et le message du répondeur m'est soudain revenu à l'esprit: «Bonjour, vous êtes chez Louis et Daniel...»

«Mais non... C'est bien Louis qui vient de partir de chez moi», me suis-je dit. «Je l'aurais su, quand même, si c'était quelqu'un d'autre!» Ah oui, vraiment?

La sonnerie du téléphone a interrompu mes pensées. C'était

Louis, justement. J'ai répondu d'une toute petite voix, tâchant de ne rien laisser paraître de mon trouble. Ce dernier était retenu au centre-ville et venait de prendre ses messages. Pouvait-il venir chez moi un peu plus tard ? Je lui ai affirmé que je l'attendrais, avalant péniblement ma salive devant l'énormité de la situation. Plus troublée que jamais, je suis immédiatement partie dans la salle de bains me faire couler ce bain qui me ferait sans doute le plus grand bien, refusant obstinément de réfléchir tant que je ne serais pas immergée dans l'eau chaude, entourée de bulles odorantes.

Une fois installée dans mon alcôve, je me suis accordée quelques minutes de réflexion. Curieusement, je ne ressentais aucun sentiment de gêne, de honte ou de trahison à l'égard de ce qui venait de se produire. Si Daniel était vraiment le frère jumeau de Louis et que c'était lui qui venait de me faire l'amour d'une manière si admirable, où était le mal ? Louis n'avait nul besoin de le savoir ! Le seul problème résidait dans le fait que j'étais, de toute évidence, incapable de les discerner. Mais plus j'y pensais, plus je me disais que c'était, en fait, une aubaine extraordinaire. Deux pour le prix d'un, incroyable ! Quelle femme songerait à s'en plaindre ? Et si Louis apprenait ce qui venait de se passer, comment réagirait-il ? Avait-il déjà vécu la même chose avec une autre femme ? S'agissait-il d'un jeu auquel les deux frères se prêtaient dans le seul but de s'amuser ? Si tel était le cas, la situation serait plus choquante. Mon instinct me disait, cependant, que Louis ne savait rien de tout cela. Et ce n'était pas moi qui allais lui mettre la puce à l'oreille ! Il fallait simplement que je m'assure de trouver un moyen de les différencier. C'était Louis, au départ, qui m'avait plu, je ne l'oubliais pas. Peut-être que si j'avais rencontré Daniel en premier, je me serais entichée de lui, mais je ne voulais en aucun cas blesser Louis. Bref, si j'étais prudente, tout s'arrangerait. Quand il viendrait un peu plus tard, je ne dirais pas un mot de la visite surprise de son frère. Pas un mot! Mais alors, comment savoir si c'était vraiment lui, pendant l'après-midi? Je n'aurais qu'à lui poser des questions précises au sujet des choses que nous avions faites ensemble depuis notre rencontre. Et si ce n'était pas la première fois qu'une telle substitution avait lieu? C'était vraiment trop compliqué, tout ça! L'un ou l'autre, finalement, ça n'avait pas tellement d'importance, du moment que j'arrivais à mes fins. Et ce soir-là, mes chances n'en seraient que meilleures. Puis, l'image des deux frères s'imposa à mon esprit, entraînant avec elle une rêverie bien agréable...

Je me suis laissée glisser un peu plus profondément dans la baignoire, afin d'explorer cette nouvelle vision. J'y étais étendue sur mon lit, espérant Louis ardemment. Le rêve s'est alors transformé. Louis arrivait, se déshabillait avec des gestes lents et m'embrassait. Son corps nu contre le mien me faisait frissonner. Presque passive, je laissais ses lèvres parcourir ma gorge, m'effleurer tendrement les seins, puis le ventre et les jambes. Sa langue venait agacer l'ouverture de mon sexe. C'était à ce moment précis que Daniel faisait son apparition. Il se déshabillait à son tour, embrassait ma bouche tandis que Louis accentuait ses caresses plus bas, beaucoup plus bas. Des mains — je ne savais trop lesquelles — pétrissaient mes seins, des lèvres les suçaient avec ardeur, alors que d'autres mains et d'autres lèvres s'activaient habilement entre mes cuisses écartées. Un membre se frayait bientôt un passage dans ma bouche, s'insérait jusque dans ma gorge, tandis qu'un autre me pénétrait brutalement, écartant davantage mes cuisses. Le rythme des deux membres était le même, en alternance. Puis, l'un des hommes se laissait tomber sur le dos — j'ignorais lequel —, mais je rejoignais sa queue tendue et la reprenais dans ma bouche gourmande tandis que, derrière moi, un autre homme s'imposait entre mes cuisses. Qui était-ce, Louis ou Daniel? Avaient-ils changé de rôle, ou était-ce le même homme que j'aspirais avec tant de passion depuis tout à l'heure? Peu m'importait. Nos corps bougeaient de nouveau et je me retrouvais à genoux, par terre, un membre dressé devant le visage, un autre fouillant mon corps. Des mains s'agrippaient à mes seins, d'autres à mes cheveux, d'autres encore à mes fesses... Combien de mains y avait-il en tout? Combien de majestueux sexes bien bandés me faisaient tant honneur? Finalement, l'homme derrière moi se laissait aller à jouir, précédant de peu son frère emprisonné dans ma bouche. La jouissance laiteuse de mes amants m'aspergeait la bouche, la gorge, le ventre, les cuisses. Et j'ai soudain joui, flottant allègrement dans mon bain maintenant tiède, les mains bien enfouies entre les jambes.

• • •

Quand Louis est arrivé, plus tard ce soir-là, je me suis permis d'attendre un peu avant de lui poser toutes les questions qui me brûlaient les lèvres. Je me suis donc contentée de répéter les mêmes gestes exécutés un peu plus tôt, laissant tomber sur le sol un léger sous-vêtement qui me couvrait à peine, attendant qu'il prenne l'initiative sur le canapé. Mais il a plutôt choisi la chambre. J'avais de la peine à me concentrer sur le moment présent, mon nouveau fantasme revenant sans cesse me hanter. Allais-je un jour vivre cette expérience qui, à sa simple évocation, me rendait moite de désir? Peut-être, si je jouais les bonnes cartes. J'ai manifesté une ardeur renouvelée grâce aux caresses de Louis — était-ce bien lui, d'ailleurs? — et ai joui encore une fois. Louis m'a prise par-devant, par-derrière, à genoux, debout, retardant son orgasme afin de me faire plaisir le plus longtemps possible. Mais j'étais épuisée et ai tenté d'accélérer son jeu, profitant tout de même pleinement des délicieuses sensations qu'il me procurait. Il a enfin joui en moi, et c'est avec bonheur que je me suis écrasée dans ses bras.

J'ai laissé quelques minutes passer avant d'entreprendre mon interrogatoire. Sa respiration s'est faite plus profonde, et comme je ne voulais pas prendre le risque qu'il s'endorme, je suis passée à l'attaque avec une première question :

— Dis, tu me présenteras ton frère, un de ces jours ?

— Mon frère ? Pourquoi ?

— Simplement parce que ça fait deux messages assez suggestifs que je laisse sur ton répondeur. J'aimerais bien le rencontrer bientôt, sinon il pourrait se faire une fausse idée de moi...

— Peut-être un jour.

— Quel âge a-t-il ?

— Quelques minutes seulement de plus que moi. Nous sommes jumeaux.

— Vraiment ? Vous vous ressemblez ?

— Nous sommes identiques, à quelques détails près.

— Alors là, j'aimerais vraiment le rencontrer !

J'avais pris un ton taquin, juste au cas où le sujet serait épineux. Mais il s'est contenté de rire et de me demander :

— Quoi, je ne te suffis pas, peut-être ?

— Oh ! Je crois bien que tu feras l'affaire ! Dis-moi, quelles sont ces petites différences ? Les cheveux, une moustache ou quelque chose du genre ?

— Non. En fait, nous nous sommes toujours amusés à porter la même coupe de cheveux et à tenter de nous ressembler le plus possible. Mais ses yeux sont un peu plus pâles que les miens et il a une cicatrice sur le front, à la lisière des cheveux, qui date de plusieurs années.

— Sans blague... seulement des petites différences comme ça ?

— Ceux qui nous connaissent bien tous les deux disent que nous n'avons pas le même regard. Qu'il a l'air un peu plus dur que moi. Mais je ne pourrais pas te dire si c'est vrai ou non. Pour ce qui est de le rencontrer, ça viendra peut-être un jour. Mes anciennes petites amies étaient toujours un peu troublées par la ressemblance. Et en plus, c'est moi qui t'ai trouvée le premier!

J'ai changé de sujet, convaincue qu'il ignorait que je connaissais déjà Daniel. Je n'aurais plus qu'à bien examiner leur front, à présent...

• • •

J'ai revu Louis plusieurs fois la semaine suivante, m'assurant que c'était bien lui quand il se présentait chez moi. C'en était même devenu une sorte de blague entre nous, cette façon dont il se dégageait le front avant d'entrer pour que je puisse y déceler une éventuelle cicatrice. Je n'ai plus revu Daniel et me suis contentée de lui renvoyer son portefeuille par la poste, de manière anonyme. Comme Louis devait partir prochainement en voyage d'affaires à l'extérieur de la ville, nous avons passé un charmant séjour à sa maison dans les Laurentides, à nous prélasser et à humer la douce odeur du bois qui flambait, tout en regardant la neige s'accumuler à l'extérieur. Je ne lui parlais plus de son frère, préférant attendre qu'il l'évoque le premier.

J'étais heureuse, même si le fantasme de deux hommes identiques me faisant l'amour en même temps revenait régulièrement me hanter. Celui-ci devenait en effet de plus en plus puissant, au point où je ne passais pas une soirée en compagnie de Louis au cours de laquelle je ne m'attendais pas à voir son sosie apparaître. J'étais si obnubilée par cette vision que je ne me suis rendu compte qu'au troisième jour de retard que mes règles ne s'étaient pas encore manifestées. Était-ce possible? Enfin! Je me réjouissais tant à l'idée que j'avais enfin réussi à m'offrir ce cadeau auquel je rêvais depuis si longtemps, que j'ai encore attendu quelques jours avant de confirmer mon état.

Après presque dix jours de retard, je me suis enfin décidée à me rendre à la pharmacie pour y acheter un test de grossesse. Fébrile, j'ai lu le feuillet d'instructions et me suis mise à la tâche. Deux minutes plus tard, le verdict était clair. Très clair, même. Voilà, j'étais enceinte. J'ai sauté sur le téléphone pour prendre rendez-vous avec mon médecin le plus vite possible. Celui-ci m'a confirmé l'heureuse nouvelle quelques jours plus tard. J'étais on ne peut plus radieuse! Oh, bien sûr, quelques nausées me feraient bien souffrir un peu, de temps en temps, mais ce n'était rien comparativement à la joie que je ressentais. Le retour de Louis approchait toutefois, et je ne savais pas comment je lui annoncerais la nouvelle. Je ne pourrais évidemment pas cacher mon état éternellement. D'ailleurs, j'étais bien décidée à lui faire comprendre qu'il serait libre de s'impliquer ou non envers cet enfant. S'il voulait jouer au père, tant mieux, mais je ne lui impo-serais rien.

Dans toute cette histoire, ce qui me tracassait le plus, c'était que Daniel pouvait très bien être le père de cet enfant, et ça, je n'en dirais jamais rien à Louis. Comment le pourrais-je? J'étais tout de même dévorée par la curiosité. Est-ce que j'étais enceinte de Louis ou de Daniel? Je ne le saurais évidemment jamais.

Toute à ces pensées, je suis partie accueillir Louis à l'aéroport. En m'apercevant, il a immédiatement remarqué quelque chose de différent en moi. Mes résolutions d'attendre un peu avant de lui annoncer l'heureuse nouvelle se sont envolées en un clin d'œil tant mon bonheur était grand. Je lui ai appris qu'il serait père dans quelques mois, s'il le voulait bien. Avant même qu'il ne puisse réagir, j'ai insisté sur le fait que je n'avais aucune attente envers lui et qu'il était libre d'agir à sa guise. Son visage éclairé d'un large sourire, il m'a assuré qu'il serait aussi disponible que je le lui permettrais et qu'il passerait le plus de temps possible avec cet enfant. Tout s'arrangeait donc pour le mieux. Mais je n'étais pas au bout de mes peines ni de mes surprises. La question de mon infidélité avec son frère, bien que sans préméditation aucune, me tracassait beaucoup. J'y voyais une faute terrible de ma part, tout en réalisant que c'était peut-être précisément cette même faute qui m'avait finalement permis de tomber enceinte. Quand Louis se déciderait enfin à me présenter son frère et que celui-ci apprendrait la nouvelle, réaliserait-il sa possible implication? Probablement pas. Mais moi, je ne pourrais m'empêcher de me demander jusqu'où, au juste, avaient porté les conséquences de sa visite.

Au cours des semaines suivantes, j'étais dans un état d'anxiété palpable. Louis mettait mon apparente nervosité sur le compte de la grossesse, et je n'ai rien fait pour lui en divulguer la véritable raison. Le jour où je devais passer mon échographie, j'étais persuadée qu'un signe quelconque m'indiquerait qui était véritablement le père de mon enfant. Quel était ce signe? Je n'en avais pas la moindre idée et savais bien que c'était une réaction totalement irrationnelle de ma part. Mais ma conviction, elle, n'en était pas moins réelle. Peut-être verrais-je quelque chose, lors de l'examen, qui résoudrait le mystère. Ou alors une simple intuition me révélerait, au moment où je m'y attendrais le moins, l'identité du père.

La salle d'attente était bondée. Je me tordais les mains nerveusement, repassant dans ma tête tous les prénoms, garçon et fille confondus, qui me plaisaient le plus. Quand mon tour est arrivé, j'étais presque une loque et ai eu de la peine à me diriger vers la salle indiquée. Je me suis étendue sur la table d'examen, ai attendu qu'on enduise mon ventre de gelée et qu'on y glisse l'instrument qui me permettrait de bien voir mon petit bébé. Je fixais l'appareil d'un œil angoissé. La technicienne m'a demandé, avant de débuter, si je souhaitais connaître le sexe de mon enfant. En me voyant acquiescer vivement, elle a commencé à m'examiner, puis un large sourire s'est dessiné sur son visage:

Quitte ou double
·········

«Madame Lemay, saviez-vous que vous attendiez des jumeaux? Un petit garçon... et une petite fille! Félicitations!»